영어통사구조의 이해

김양순(Yangsoon Kim)
한국외국어대학교 영어과 졸업
University of Wisconsin-Madison 언어학 석사
University of Wisconsin-Madison 언어학 박사
현재 국립 한밭대학교 인문사회대학 영어영문학과 교수

영어통사구조의 이해

초판 1쇄 발행일 2020년 2월 27일

지은이 김양순
발행인 이성모
발행처 도서출판 동인
주 소 서울시 종로구 혜화로3길 5 118호
등 록 제1-1599호
TEL   (02) 765-7145
FAX   (02) 765-7165
E-mail dongin60@chol.com
ISBN   978-89-5506-821-4
정 가 16,000원

※ 잘못 만들어진 책은 바꿔 드립니다.

영어통사구조의 이해
UNDERSTANDING
ENGLISH SYNTACTIC STRUCTURES

김양순 지음

도서출판 동인

저자가 여러 해 동안의 학부 영어통사론 수업자료를 모아 2016년에 출간했던 '영어통사론' 교재를 기반으로 심층연구를 통해 새로운 교재인 '영어통사구조의 이해'를 출간하게 되었다. 이 책의 목적은 학부와 대학원 학생들이 영어통사구조의 분석과 원리를 알기 쉽게 이해하는데 도움이 될 수 있는 영어통사론 수업 교재를 제공하는 것이다. 좀 더 실용적인 도구로서의 통사이론을 제시하기 위해 다양한 응용문제를 제시하여 통사구조이론이 영어 학습에 얼마나 유용하며 효율적인지를 보여주는 적용과 실제에 중점을 두었다.

단어를 단순 열거해서는 문법적인 문장이 되지 않는다. 문장은 단어의 연결체 이지만 모든 단어의 연결체가 다 문법적인 문장이 되는 것은 아니다. 왜 그럴까? 문장은 단어들을 단순하게 나열하는 선형구조가 아니라 계층구조를 갖고 있기 때 문이며 이러한 계층을 결정하는 단어의 연결방식을 결정하는 문장형성원리가 존 재한다. 통사론은 '구와 문장의 내부구조 연구'이며, 한마디로 문법이론(theory of grammar)이라고 할 수 있다. 인간이 물 흐르듯 자연스럽게 지켜야 할 규칙이 법 (法)이라면 문장이 지켜야 할 법은 문법(文法)이다. 자연의 원리를 이해하듯 생득 적인 언어능력인 통사구조의 원리를 명시적으로 설명하는 것이 바로 생성문법에 기초한 통사론의 임무이다.

따라서 이 책은 현대 언어학의 핵심 분야인 통사론의 기본 개념들과 통사구조

분석에 대한 생성문법의 원리기반 설명을 제공한다. "가장 좋은 이론이 가장 실용적 도구이다." 저자는 경제성과 효율성을 강조하는 현 시대에 통사론은 이론적이기 때문에 영어 학습에 도움이 되지 않는다는 잘못된 비판을 넘어 통사론은 문장을 제대로 이해하기 위해서는 반드시 배워야하는 영어학습도구라고 강조한다. 통사론을 구문론 또는 문법론이라고도 하듯이 영어통사구조의 원리를 이해하면 할 수록 영어구문의 분석이 쉬워진다. 구문을 분석할 때 유용한 도구로서 영어학습의 속도를 높이는 통사구조이론의 경제성을 강조하고 싶다. 또한 인지과학을 기초로 언어의 무한성과 창의성에 관한 통사구조연구는 4차 산업혁명 시대가 요구하는 창의성 강화 교육을 위해서도 필수 과목이라 할 수 있다.

무엇보다 이 저서가 나오기까지 지난 30년간 학문적 원동력과 피드백의 원천이 되어 준 한밭대학교 영어영문학과의 사랑스런 제자들에게 고마움과 무한한 애정을 전하며 도서출판 동인의 이성모 사장님과 편집부 여러분께도 깊은 감사를 드린다.

2020년 2월
김양순

차례

제1장

개관
PRELIMINARIES

1. 언어와 언어학

통사론(syntax)은 언어학(linguistics)의 한 연구 분야이므로 먼저 언어와 언어학이 무엇인지를 이해하는 것이 필요하다. 언어와 언어학이 무엇인가에 대한 이해를 돕기 위하여 아래와 같이 네 가지 질문을 통해 이를 살펴보고자 한다.

(1) 언어란 무엇인가?

언어란 인간이 의사소통의 수단으로 사용하는 관습적인 음성기호의 "체계(system)"로 정의된다. 언어는 동물과 인간을 구별하는 인간에게만 고유한 특질이며 동시에 인간이라면 누구나 갖고 있는 보편적인 특질이다.[1] '언어는 인간의 고

---

[1] "No matter how eloquently a dog may bark, he cannot tell that his parents were poor but honest." (by Russell) 이 인용구는 언어는 인간에게만 고유한 능력임을 시사한다.

유한 특질이다'라고 할 때의 '언어'란 개별 언어의 지식이 아닌 모든 인간이 공유하는 개별 언어를 배우고 사용할 수 있는 총체적이고 추상적인 언어지식의 보편적 체계를 의미하며 이는 인공언어(artificial language)의 체계가 아닌 자연언어(natural language)의 체계를 의미한다.

(2) 언어학이란 무엇인가?

언어학이란 인간 언어의 과학적 연구(the scientific study of human language), 즉 언어의 구조, 의미, 소리, 화용, 습득 그리고 변화와 같은 다양한 인간의 언어현상에 대한 과학적 탐구라고 정의할 수 있다.[2] 이러한 인간언어의 과학적 연구는 인간의 언어가 규칙 또는 원리 중심적(rule · /principle · governed)이라는 가정을 기반으로 한다.

(3) 언어학을 공부하는 이유는 무엇인가?

언어는 생물학적으로 인간에게만 독특한 행위로 인간 생명과 힘의 근원이므로 인간의 본질을 알기 위해서는 인간을 다른 동물과 구별시키는 언어를 이해해야만 한다. 언어를 공부한다는 것은 바로 인간 그리고 인간을 인간답게 만드는 것이 무엇인가를 연구하는 일과도 일치하므로 언어는 바로 인간이라고도 정의할 수 있다.

언어가 인간정신의 잠재적 통찰력의 근원이라고 보는 견해(Chomsky 1972)에서는, 언어가 인간정신의 거울(the mirror of mind)이므로 언어연구란 인간정신의 연구이며, 인간정신의 잠재적 통찰력(inherent insight)에 대한 지적인 도전이라고 할 수 있다.

(4) 언어학의 세부적인 연구 분야는 무엇인가?

언어학 분야(branches of linguistics)에서 우리는 무엇을 연구하는가? 언어학에

---

[2] According to dictionary.com, linguistics is defined as: the science of language, including phonetics, phonology, morphology, syntax, semantics, pragmatics, and historical linguistics.

는 여러 연구 분야가 있으며 시대가 변화함에 따라 새로운 언어학 연구 분야도 계속해서 생겨나고 있다. 순수 언어학 분야의 연구로 소리, 어휘, 단어와 문장의 구조, 의미, 담화와 언어사용(화용) 등을 연구할 수도 있고 응용연계분야(applied interdisciplinary studies) 연구로는 언어와 심리, 사회, 역사, 언어습득, 교육, 번역, 컴퓨터처리(인공지능), 코퍼스(빅데이터), 인지언어학, 신경언어학 등을 공부할 수 있다.

다음에서 (1)의 분야는 순수 언어학 분야이고, (2)의 분야는 응용 언어학 분야의 예이다.

(1) 순수 언어학 분야[3]
소리(음소) 연구   → 음성학(phonetics)과 음운론(phonology)
단어(어휘 형태소) 연구 → 형태론(morphology)
구, 문장 연구   → 통사론(syntax) 또는 구문론, 문법론
의미 연구   → 의미론(semantics)
담화 및 언어사용 연구 → 화용론(pragmatics)

---

[3] a) Phonetic rules: rules that determine the actual pronunciation of words and sentences
  b) Phonological rules: the organizational rules that determine allowable patterns of sounds
  c) Morphological rules: rules that regulate the formation of words, properties of words and word-building rules (morpheme → word) e.g. [un+happy+ness]/[dog+s]/[eat+s]
  d) Syntactic rules: rules of grammar that connect words in a sentence: a study of the structure of sentences and phrases
  e) Semantic rules: rules that determine interpretation of words and sentences. (context-independent or word-by-word translation/literal meaning/denotation)
  f) Pragmatic rules: rules that determine language use in a discourse/context (context-dependent or indirect speech/beyond dictionary/connotation)
   e.g. *Do you have a pen?* (→ *Can I borrow it?*)
    I'm very hungry. (→ Request to be fed).
    What's mine is thine, what's thine is mine. (What relationships? - family, etc)
    If you pass me the salt, it would be awesome. (Polite request instead of conditional)
    Your desk is a mess. (→ The desk should be cleaned up.)

(2) 응용 언어학 분야

심리언어학(psycholinguistics): 언어습득(language acquisition), 언어인지(speech perception), 언어장애(communication disorders) 등

사회언어학(sociolinguistics): 언어와 문화, 사회계층, 인종, 태도, 젠더, 사회방언연구 등

역사언어학(historical linguistics): 통시적 언어변화(diachronic language change), 문법화(grammaticalization), 언어군(language family) 등

컴퓨터언어학(computational linguistics): 기계번역(machine translation),[4] 인공지능(artificial intelligence-기계학습(deep learning algorithm), 빅 데이터(Big Data), 코퍼스 언어학(corpus linguistics)[5] 등

생물언어학/신경언어학(biolinguistics/neurolinguistics): 인지뇌과학, 두뇌언어처리(language processing in the brain),

연습문제 1(1) 통사론, 의미론, 화용론의 상호작용

구조적으로는 동일한 다음의 문장들에서 *he*가 지시하는 선행사가 무엇인지 설명하시오. (여기서 *he*의 지시어는 화용론적 지식에 근거함) (예문 출처: Jacobs 1995)

a. The inspector refused the arrested man's request because he had suspected an escape attempt.

---

[4] 최근 수년간 혁신적으로 발전한 기계번역은 인간의 두뇌를 닮은 신경망기계번역(Neural Machine Translation)의 성과를 이루었고 번역의 속도, 편의성, 정확도(accuracy)와 질(quality)에 있어 소위 말하는 '위대한 번역의 시대(New Great Age of Translation)'를 만들고 있다. 한국에서 가장 많이 사용되고 있는 Google Translate, Papago 등이 신경망기계번역 시스템이며 기계번역의 관점에서 보면, 번역할 수 없는 것(untranslatable)은 소통할 수 없는 것(uncommunicable)으로 이해된다.

[5] 현대의 코퍼스언어학에서 말하는 코퍼스는 컴퓨터에 저장하고 컴퓨터에서 처리할 수 있는 형태의, 전자화된 텍스트, 즉 비트로 구성된 것을 말한다. 말뭉치 언어학 (Corpus Linguistics)은 이러한 (전자)코퍼스를 바탕으로 컴퓨터를 이용하여 언어학적 연구를 수행하는 언어 연구의 방법이다. 전통적인 문법(문법론), 의미(의미론), 어휘(사전학)의 문제를 연구하는 동시에, 전자사전, 어휘데이터베이스, 통계적 자연언어처리(statistical NLP) 등의 연구 분야를 포함한다.

b. The inspector refused <u>the arrested man</u>'s request because <u>he</u> had made an escape attempt.

연습문제 1(2) 언어학의 세부분야

다음 문장을 예로 들어 음성학, 음운론, 형태론, 통사론, 의미론 그리고 화용론의 각기 다른 연구 분석의 관점에서 문장을 설명하시오.

a. The girls had pens.
b. The girl in a red hat is my sister.
c. There appeared a strange face in the window.

2. 영어학과 통사론

영어를 언어학적 연구의 대상으로 하는 학문을 영어학이라고 하며 영어학의 세부 연구 분야 중의 한 핵심 분야가 통사론이다.

통사론이란 무엇인가? 통사론이란 문장 구성(sentence construction)규칙을 의미하는데 이는 "문장 또는 구를 형성하기 위하여 단어를 조합하는 방식을 설명하는 문법규칙이다(Syntax is about the ways words are combined to form phrases or sentences)."[6] 사전적 정의를 따르면 통사론은 문법적인 문장의 생성을 위한 단어와 구의 결합방식과 관련한 규칙과 원리의 집합이라고 정의된다(Syntax is concerned with the set of rules and principles in a language which relate to how words and phrases are arranged to create well‐formed sentences. (Oxford English Dictionary: 2015)).

단어를 단순 열거해서는 문법적인 문장이 되지 않는다. 문장은 단어의 연결체

---

[6] Syntax is the study of the way in which phrases and sentences are structured out of words (Radford, 2004).; The study of sentence formation is referred to as syntax (Haegeman, 2006).

이지만 모든 단어의 연결체가 다 문법적인 문장이 되는 것은 아니다. 왜 그럴까? 문장은 단어들을 단순하게 나열하는 선형구조(flat structure)가 아니라 계층구조 (hierarchical structure)를 갖고 있기 때문이며 이러한 계층을 결정하는 단어의 연결방식을 결정하는 문장의 법칙(문법)이 있기 때문이다. 한마디로 통사론은 문장이 지켜야하는 법인 문법이론(theory of grammar)이라고 할 수 있다.

그렇다면, 문장을 만들기 위하여 우리는 어떤 식으로 단어를 결합하는가? 작은 단위에서 큰 단위로 문장의 구조가 형성되는데 즉, 단어(word)가 구(phrase)를 형성하고 구가 다시 절(clause) 또는 문장(sentence)을 구성하는 하상접근방식(bottom-up process: words → phrases → clauses → sentences)의 구성방식을 따른다.

따라서 통사론은 '구와 문장의 내부구조 연구'라고 할 수 있다. Syntax라는 용어는 언어요소의 결합(체)을 의미하는 그리스어 *suntaxix*에서 나온 것이며 통사이론(syntactic theory)이란 용어는 Chomsky의 1957년 저서인 『통사구조』(*Syntactic Structures*)에서 유래하며 통사론은 현대 언어학의 핵심적인 분야가 되어가고 있다. 통사론은 문장의 법칙을 다룬다는 점에서 문법론 또는 구와 문장의 연구라는 점에서 구문론이라고도 부른다.

이제 문장형성을 위한 단어의 결합규칙인 통사규칙(syntactic rules)의 예를 들어보자. 관사(D(ET))와 명사(N) 두 단어가 결합하여 하나의 명사구(NP)를 형성하고(NP → D + N e.g. *the man, a pen*), 동사(V)는 목적어 역할을 하는 보충어(complement)인 명사구(NP)와 결합하여 동사구(VP)를 형성한다(VP → V + NP e.g. *has a pen*). 마지막으로 주어 명사구(NP)와 서술어인 동사구(VP)를 결합하여 구보다 큰 단위인 절 또는 문장(S)이 만들어진다(S → NP + VP e.g. *The man has a pen*).[7]

문법이란 용어는 여러 의미로 사용되는데 통사적 의미의 문법이란 문장의 구조와 의미에 대한 완전한 기술을 의미한다. 따라서 통사적 능력(syntactic ability)

---

[7] NP = Noun Phrase(명사구), Det = Determiner(한정사), N = Noun(명사), VP = Verb Phrase(동사구), V = Verb(동사), S = Sentence(문장)

이란 모국어의 문법적 문장을 형성하기 위하여 단어를 결합하여 문장을 형성하는 언어능력과 단어결합으로 형성된 문장이 문법적인지 비문법적인지를 판단할 수 있는 모국어화자의 직관력인 문법성(grammaticality) 판단능력 둘 다를 의미한다.

예를 들면, 모국어화자는 통사적 능력으로 아래 (3)에 나타난 문장들의 문법성을 판단한다. 즉 (3a)의 문장은 문법적인 문장이며 (3b)의 문장은 비문법적인 문장으로 판단한다. (3c)의 문장에서 보문소 *that*의 생략은 선택적이지만 (3d, e)의 문장을 비교하면 *that*의 생략이 필수적이다. 또한 (3f)의 문장에서 *he*는 *John* 또는 다른 사람을 지칭할 수 있지만 (3g)와 (3h)의 문장의 경우는 *He/him*은 *John*을 지칭할 수 없고 (3i)의 *himself*는 반드시 *John*을 지칭해야 하고 (3j)의 *John*은 동명이인이라는 지시성(reference) 판단, 그리고 (3k)의 경우 *-ing*의 동명사(gerund) 해석인 '비행기를 날리는 것'과 현재분사 해석인 '날고 있는 비행기'의 두 가지 해석이 가능하다. 이러한 문장의 중의성(ambiguity)을 판단할 수 있는 능력 등이 모두 통사적 능력 안에 포함된다. 아래 문장에서 문장 앞의 별표(*) 표시는 문장이 비문법적(비문)임을 나타낸다. (NB: * = ungrammatical)

(3) a. Who did you see Mary with?

 b. *Who did you see Mary and?

 c. What do you think (that) Mary kissed?

 d. What do you think kissed Mary?

 e. *What do you think that kissed Mary?

 f. John$_i$ thinks that he$_{i/j}$ wins the game.

 g. He$_{i/*j}$ thinks that John$_j$ wins the game.

 h. John$_i$ saw him$_{j/*i}$.

 i. John$_i$ saw himself$_i$.

 j. John$_i$ saw John$_j$.

 k. Flying planes can be dangerous.

3. 문법의 발달

여기서 문법에 대한 정의를 좀 더 분명히 할 필요가 있는데 이는 문법이란 용어가 여러 가지로 쓰이기 때문이다. 역사적으로 문법은 규범문법, 구조(주의)문법 그리고 생성문법 이렇게 세 가지 종류의 문법으로 구별할 수 있다.

3.1 규범문법(Prescriptive Grammar)

규범문법(prescriptive grammar)은 학교문법(school grammar), 교육문법(pedagogical grammar), 전통문법(traditional grammar) 등으로 불리는데 이는 라틴어 문법이 용법에 의존하며 문법학자들이 말하고 쓰는 방식을 규정(prescribe)하는 데서 시작되었다. 언어에 대한 어휘적, 철학적 연구 대신에 언어구문을 연구하는 문법연구는 Plato와 Aristotle에 의해 기원전 4세기경 시작되었으며 이후 Dionysius Thrax는 최초의 희랍문법서인 *Tekhnê Grammatikê*(The Art of Grammar)에서 8품사로 단어분류를 하였다. 이 품사의 전통은 19세기까지 약간의 수정을 거쳐 학교문법에서 고수되었다 (8품사: 명사, 형용사, 동사, 전치사, 부사, 대명사, 접속사, 감탄사). 영국에서 18세기까지 표준(standard)을 설정하기 위한 여러 문법서가 쓰이기는 하였지만 문법을 공부하는 주된 이유는 라틴어를 배우기 위한 보조역할이었고 영어의 문법도 라틴어의 문법을 따랐다. 라틴어 문법이 학교 교육과정상 중요하였으므로 이때의 초급학교를 문법학교(grammar school)라고 부르기도 한다.

문법이란 희랍의 *grammatike*에서 유래된 것으로 *to write*를 의미하며 18세기·19세기의 학교문법은 고대 희랍의 전통을 고수하였다. 따라서 언어 연구의 주된 목적은 작문과 회화에서 오류를 피하기 위한 것이었다. 학교에서 배우는 문법은 정확하게(correctly) 말하고 쓰기 위한 것이었는데, 예를 들면, 전치사가 문장의 끝에 오면 안 된다(Do not end a sentence with a preposition), ain't를 사용하지 마라(Don't say 'ain't'), 또는, 분리부정사를 만들지 마라(Never split an infinitive), 연계동사인 *be* 동사 뒤에 인칭대명사가 올 때는 목적격이 아닌 주격의 형태를 사용하라(After forms of the copula verb *be*, the nominative forms should be used instead of the objective forms: *It's me* → *It's I*)와 같은 문법원리의 설명 없이 단지 화자들에게 용법을 규정하는 문법을 규범문법이라고 부른다.

따라서 규범규칙은 식사예절(table manners)과 같은 관습이므로 이때의 문법은 개념의 명시 없이 주관적(subjective)·비과학적(unscientific)·규범적(prescriptive)·비실증적(unempirical)이었고 설명보다는 용법의 분류에 치중했다. 전통문법에서는 표준문어만을 다루고 일상적인 구어는 과소평가하였다. 문법의 규칙은 규범적이므로 언어는 끊임없이 변화한다는 언어변천은 무시하였다는 것이 문제점의 하나였다.

3.2 구조문법(Structural Grammar)

규범문법의 비과학성과 주관성을 비판하며 20세기 초 1950년대까지 구조(주의)문법이라는 새로운 학파가 언어학계에 나타났다. 구조문법은 규범문법과 달리 구조문법 학자들은 언어를 분석할 때 객관적이고 실증적인 분석을 기반으로 '기술적(descriptive)' 규칙을 형식화(to formulate)하려고 하였다. 이때의 기술적 규칙은 언어의 다양한 측면에 대한 일반화(generalization)와 규칙화(regularization)라는 과학적 분석을 시도함으로써 언어학(linguistics) 과학적 연구의 기초가 되었다.

구조문법의 시대적 배경을 살펴보면 낙관주의시대(Period of Optimism)였는데 이 시기의 언어학자들은 어느 때보다도 언어학이 번성하던 시기라고 믿고 있었으며 언어학이 모든 사회과학 분야에서 가장 발전된 학문이라고 했다.[8] 또한 이 시기의 사회 전반적인 흐름은 행동주의(Behaviorism), 즉 사실주의(Realism), 경험주의(Experiencism), 실증주의(Empiricism) 시대였음을 알 수 있다. 엄격한 행동주의, 물리주의, 경험된 사실주의에 기초한 이때의 연구방법론은 객관적 자료의 관찰에

---

[8] "American linguistics is today in a more flourishing state than at any time since the founding of the Republic (Haugen 1951)."

"Linguistics was the most advanced of all the social sciences, with a close resemblance to physics and chemistry (Carroll 1953)."

서 시작하는 귀납적 방법(Inductive Generalization)이 사용되었는데 언어학의 경우도 한정적인 경험된 언어자료(finite experienced data)만을 대상으로 삼는 귀납적 방법이 연구방법의 정통이 되었다. 경험된 자료만을 다루는 행동주의시대의 구조주의문법은 선천적 언어능력보다는 경험을 통하여 얻어지는 후천적인 언어학습(language learning)을 중시하였다. 예를 들면, 여러 개의 관계절이 주어를 수식하고 있는 아래의 (4b)와 같은 문장(stacked relative clauses/onion sentences)은 문법적인 문장이기는 하나 실제 대화에서는 사용되지 않는 문장이므로 구조주의문법의 연구대상에서는 제외되었다.

(4) a. [The man [the girl likes] is here].
    b. [The man [the girl [Mary knows] likes] is here].

구조문법은 소쉬르의 전통(Saussurean Heritage)을 배경으로 하는데 Ferinand de Saussure(1857-1913)는 스위스의 언어학자로 구조주의 언어학의 창시자가 되었다. 사후(posthumous)에 출간된 그의 강의노트인 『일반언어학강의』(Cours de Linguistique Generale, 1916)는 언어학 역사의 전기를 이루었다. 이 책에서 소쉬르는 '랑그'(Langue)와 '파롤'(Parole)을 다음과 같이 구분하였다.

(5) 랑그: 언어 공동체의 모든 구성원이 공통적으로 가지고 있는 관계로 언어 안에 내재된 구조관계의 추상체계

(the abstract system of structural relationships inherent in language and relationships that are held in common by all members of a speech community)

파롤: 개인의 실질적인 언어행위
(individual act of speaking; the actual performance)

소쉬르는 언어를 심포니와 비교하며 랑그와 파롤을 연주에 비유할 때, 연주자 모두가 공통으로 갖고 있는 불변의 악보는 랑그에 비유될 수 있고 개인의 실질적인 연주는 파롤에 비유될 수 있으며 이 둘은 동일한 것이 아니라고 하였다. 구조문법 학자인 소쉬르는 불변의 체제인 랑그보다는 실질적 언어행위인 파롤을 중시하였다.

3.3 생성문법(Generative Grammar)

1930년대 번성하던 구조언어학이 자체모순에 빠지면서 쇠퇴할 때인 20c말 1950년대 후반에 구조주의는 변형생성문법(Transformational Generative Grammar)에 의해 도전을 받게 되었다. 구조문법의 방법과 목적에 도전한 변형생성문법은 Chomsky의『통사구조』(*Syntactic Structures*, 1957)에 의해서 시작되었다. 이후 변형생성문법은 생성문법이라 부르게 되었다. 생성문법은 구조문법과 마찬가지로 객관적, 과학적 분석법을 채택한다는 점은 동일하나 귀납법(induction)을 유도하는 행동주의 배경의 구조문법과는 달리 연역법(deduction)을 선호하는 이성주의(rationalism)를 시대적 배경으로 발전하였다.

생성문법의 시작 동기는 "어떻게 경험의 부족에도 불구하고 많은 언어지식의 습득이 가능할 수 있는가(How do we have so much knowledge for so little experience?)"라는 플라톤의 문제(Plato's Problem)라고 불리는 딜레마에서 시작되었다. 변형생성문법은 아래 (6)과 같이 실제대화에 사용되는 기저의 규칙체계에 대한 지식인 모국어의 문장들을 생성하고 이해할 수 있는 지식인 언어능력(Competence)과 개인의 언어능력을 실제 발음이나 문장의 사용에 적용하는 언어수행(Performance)으로 분류하고 구조문법과는 반대로 언어수행이 아닌 언어능력이 언어학 연구의 대상이 되어야 한다고 주장하였다.

(6) **언어능력(Competence):** 모국어에 대한 화자/청자의 지식으로 실제 언어수행에 사용되는 기저의 규칙체계

(the native speaker‧hearer's knowledge of language, the underlying system of rules that are put to use in actual performance: inherent implicit mental grammar, internal language (I‧language)) (cf 랑그)

언어수행(Performance): 구체적인 상황에서 실제적인 언어사용
(the actual use of language in concrete situations, external language (E‧language)) (cf. 파롤)

위와 같은 분류는 표면상 Saussure의 랑그와 파롤의 분류와 유사한 것 같다. 그러나 Saussure는 파롤을 연구함으로써 랑그에 도달하려고 시도한 반면 생성문법학자들은 화자들이 문장을 생성하고 이해하는데 필요한 규칙인 언어능력에 의해서 문법을 정의하려고 했다. 즉 생성문법은 언어수행보다는 언어능력을 규명하는데 관심을 갖는다. 구조문법이 추상적인 규칙체계보다는 실제 언어행위를 중시하여 랑그보다는 파롤에 관심을 둔 것과 대조적이다.

언어학을 보다 넓은 인지심리학(cognitive psychology)의 한 분야로 탐구하며 선천적 언어능력(inherent competence)에 기초한 변형생성문법의 장점은 구조문법이 설명할 수 없었던 화자들의 언어창의성(linguistic creativity)과 언어무한성(linguistic infinity)을 설명할 수 있다는 것이다. 언어의 무한성을 가정할 경우 귀납적인 연구방법은 불가하다. 따라서 변형생성문법에서는 최소한의 가설 또는 공리로부터 출발하여 최대한의 실증적 사실들을 유도해내는 연역법의 방법이 취해진다. Chomsky는 수학과 논리학의 연역적인 생성체계를 자연언어에 적용하여 자연언어도 유한한 수의 규칙으로부터 생성체계방식에 의해 무한한 문장을 생성한다고 주장하였다.[9] 유한한 규칙들로부터 무한한 문장들을 '생성'한다(Finite rules

---

9) 연역법: 무한의 자료로부터 가설을 최소화하려는 노력에서 나온 방법론이다. 현대의 모든 과학적 연구의 최대 목표는 최소의 가설로부터 연역법을 통해 최대의 실험적 사실을 발견하는 것이다("The grand aim of all science is to cover the 'greatest' possible number of experimental facts by logical

or grammar 'generate' infinite sentences)는 점에서 생성문법이라고 불리는 변형 생성문법의 생성체계방식은 오랜 난제였던 플라톤의 문제에 대한 답이 되었다.

'아이들이 어떻게 모국어를 습득하는가'의 질문에 대한 답으로 Chomsky는 생득적 가설(The Innateness Hypothesis)을 주장했는데 이는 언어는 학습이 아니라 습득으로 아이들이 구어언어 또는 수화에 노출되면 모든 아이들은 적절한 시기에 언어습득이 가능해진다(Language is not learning, but acquisition. It is deemed to emerge at the appropriate time, provided the child is exposed to spoken or signed language)는 가설이다. 짧은 기간 아주 빈약한 한정된 언어자료에 아이들이 노출되지만 그 결과는 무한정한 언어자료를 이해할 수 있는 모국어습득이 결과로 나타난다는 딜레마에 대한 답이 생득적 가설 또는 자극의 빈곤가설(poverty of the stimulus)이다. 아래 (7)에서처럼 아이들의 초기 상태(initial state: So)가 '빈곤한(poor)' 언어자료에 노출되면(경험되면) 그 결과 안정 상태(steady state: Ss)인 '무한정한/풍부한(rich)' 모국어능력이 될 수 있는 것은 바로 초기상태인 선천적 언어습득기제에 기인한다는 것이다.

(7) $S_{initial}$ (So) + Data $\rightarrow$ S_{steady} (Ss)
              [*poor*]   [*rich*]

이러한 타고나는 언어기제인 So를 언어습득장치(Language Acquisition Device: LAD)라고 부르는데 언어는 똑똑하든 바보든 모든 인간이 다 배울 수 있다는 점에서 모든 인간이 보편적으로 갖고 태어나는 언어능력(genetic endowments)이라는 의미로 보편문법(Universal Grammar: UG)이라고 부른다. 보편문법은 "인간만이 그리고 인간이라면 누구나(a species specific and species universal)" 소유하는 선천적인 언어유전자(language gene)이다. 따라서 생성문법은 언어들 사이의 공통점

---

deductions from the 'smallest' number of hypotheses or axioms." - Einstein). 최근 통사론 연구인 최소주의 이론(Minimalist Theory)의 목표도 '최소의' 문법원리로 '최대의' 언어자료를 설명하는 것이다.

을 찾는데 중점을 두었다. 또한 규범문법의 규칙은 규범적이므로 언어는 끊임없이 변화한다는 언어변천을 인정하지 않았으나 기술적 문법인 구조문법과 생성문법은 언어의 변화를 인정하였다.

이해를 돕기 위해 과학적 연구의 시작이 된 구조문법과 생성문법을 요약하여 비교하면 다음과 같다.

(8) 구조문법

- 행동주의/사실주의 이념적 배경
- 후천성인 언어수행(Performance/Parole) 강조
- 빈 서판(Blank Slate/tabula rasa)[10]
- 학습((Intentional) Learning)과 양육(Nurture) 강조
- 문법: 유한문장 → 유한규칙 (귀납법 사용)
- 개별성 강조

(9) 생성문법

- 이성주의 이념적 배경
- 선천성인 언어능력(Competence/Langue) 강조
- 선천적 언어설계도(LAD/UG/Language Gene) 소유
- 습득((Incidental) Acquisition)과 본성(Nature) 강조
- 문법: 유한규칙 → 무한문장(연역법 사용)
- 보편성 강조

---

10) 빈 서판이란 인간의 마음은 아무것도 적히지 않은 흰 종이와 같은 상태로 시작해서 경험을 토대로 이 성과 지식의 모든 재료를 갖춘다는 존 로크의 경험주의 학설을 말한다.

연습문제 3(1) 규범문법 vs 구조문법/생성문법

다음의 규칙을 (i)과 (ii)에서처럼 규범적(prescriptive)인 규범문법과 대조되는 기술적 (descriptive)인 구조문법과 생성문법의 관점에서 비교하시오.

(i) a. between *you* and *I* ; It's *I*.
      규범문법: 문법적   vs   기술적 문법: 비문법적
   b. between *you* and *me* ; It's *me*.
      규범문법: 비문법적 vs   기술적 문법: 문법적

(ii) a. The Fourth Armored Division tried *to totally destroy* the hideout.
      규범문법: 비문법적 vs   기술적 문법: 문법적
   b. The Fourth Armored Division tried *to destroy* the hideout *totally*.[11]
      규범문법: 문법적   vs   기술적 문법: 문법적

(iii) a. Everyone brought *his* lunch.
    b. Everyone brought *their* own lunch.

(iv) a. I'm going to try *to* help the victim.
    b. I'm going to try *and* help the victim.

(vi) a. Over there is the guy *who* I went to the party *with*.
    b. Over there is the guy *with whom* I went to the party.

(v) a. *Who* did you see at the meeting?
    b. *Whom* did you see at the meeting?

(vi) a. You are taller than *me*.
    b. You are taller than *I*.

---

[11] From Jacobs (1995), *English Syntax*

4. 언어능력과 문법모델

생성문법은 문법규칙을 설정할 때 언어적 직관(intuition)에 기초하는데 이는 언어수행(performance)이 아닌 언어능력(competence)에 해당한다. '언어능력은 선천적인 능력이다(Language capacity is innate competence)'라는 가정이 구조문법과 다른 점이며 생성문법이 시작된 주된 동기 중의 하나이다.

이제 생성문법이 구조문법보다 우월하다는 것을 증명하기 위하여, 언어학은 언어수행보다는 언어능력에 기초한다는 몇 가지 실증적 증거들을 살펴보자.

첫째, 다른 형태의 학습과는 달리 언어습득은 누구나 습득이 가능한 보편성(universality)의 특질과 결정적 시기(Critical Age/Period)이전에 완성단계에 도달하는 빠른 속도의 구사력(rapidity of mastery)은 언어수행이 아닌 언어능력으로만 설명이 가능하다. 결정적 시기란 사춘기 이전에 언어능력이 최고조에 달하는 시기를 말한다.[12] 언어를 가장 쉽게 습득할 수 있는 시기인 결정적 시기에는 여러 개의 언어습득이 가능하므로 외국어도 이 시기에 교육하는 것이 효과적이라는 주장이 생성문법의 결정적 시기이론에 기초한 조기 외국어교육론이다.[13]

둘째, 언어습득은 다른 학습과 달리 언어수행에 기초한 단순한 반복(repetition)이나 모방(imitation)에 의해서 이루어지는 학습이 아니다. 모국어습득에는 외국어습득 시 활용되는 반복과 모방의 원리가 적용되지 않는다는 것은 아이들이 언어

---

[12] Critical Age (Period) - the ability to acquire the competence reaches its peak: Acquiring a language (native or foreign) is a natural achievement for children and becomes <u>more</u> difficult as one gets older (Lenneberg, 1967).

[13] 결정적 시기 이전에는 아기들은 모두가 언어천재로 어떤 언어도 배울 수 있는 여러 개의 언어 창문들(multiple language windows)을 가지고 있다: "The Linguistic Genius of Babies" by Patricia Kuhl(www.ted.com)를 참조하라. 여러 개의 언어습득이 가능한 다중언어구사자(polyglot)와 달리 결정적 시기 이전에 언어교류가 불가능한 경우에 우리는 역 상황의 가능성을 묻는 다음과 같은 질문과 그 답을 생각해 볼 수 있다. '아이들이 언어적 사회적 교류가 박탈될 경우 아이의 언어습득은 과연 불가능한가?'(How about children deprived of linguistic and social interaction during their childhood?) 이 질문의 답은 "불가능하다"이며 실제의 사례로는 결정적 시기와 언어습득을 연구한 'Genie's case'를 들 수 있다.

습득 초기 단계에 보이는 과잉일반화(overgeneralization) 현상을 보면 알 수 있다. 언어학에서 과잉일반화란 규칙이 적용되어서는 안 되는 경우에도 문법규칙을 적용하는 현상이다. 불규칙 명사나 동사에 규칙 명사나 동사의 규칙을 적용한다. 예를 들면, 복수 명사형을 만드는 형태 규칙을 과잉으로 일반화하여 *feet*라고 하지 않고 *foots*라고 규칙복수형 *-s*를 과잉으로 일반화한다. 다음과 같은 아이문법 (Child Grammar)에 나타나는 과잉일반화의 예를 살펴보자.

(10) a. I eated, I doed it. I haved it. John goed. it breaked[14]

b. two foots, fishes, mouses

c. He walk. Mary go, John gone, She coming.

d. I'm not scared of Dan, Mama, he was nice to me. He <u>gived</u> me drinks of water, and covered me up with his coat. and when he <u>goed</u> away, he said a prayer at me.[15]

e. If I <u>knowed</u> the last bug I <u>eated</u> would be the last bug I <u>eated</u>, I woulda <u>eated</u> it slower,' Phil said sadly.[16]

(11) Child: My teacher <u>holded</u> the baby rabbits and we petted them.

Adult: Did you say your teacher *held* the baby rabbits?

---

[14] 불규칙 동사에도 규칙동사처럼 모두 *-ed*를 붙이는 현상은 대표적인 과잉일반화 현상으로 한국어의 '맛이가 없다,' '신발이가 없다'처럼 주격조사 '가'를 주격의 명사 형태와 무관하게 일반화하는 것 또는 '안 밥 먹었어,' '안 사과 좋아해'처럼 부정문을 말할 때 단어 앞에 '안'을 붙이는 일반화도 동일한 과잉일반화 현상이다. 덧붙여, 모국어습득 시 아이들은 좀 더 일반적이고 비유표적인(unmarked) 규칙동사를 습득하고 그 후 예외적이고 유표적인(marked) 불규칙동사를 습득하는데 일부동사에서 불규칙동사를 먼저 습득하는 현상은 불규칙 동사를 형태소 굴절이 일어난 형태가 아닌 하나의 독립된 어휘단어로 착각하기 때문이다. 예를 들면, 언어습득 초기단계에 아이들은 *went* 과거동사를 *go* 현재동사와는 무관한 독립적인 어휘로 간주하다가 그 후 과잉일반화의 시기를 거치고 최종적으로 불규칙 과거동사 *went*를 습득하는 [*went-goed-went*]의 습득 단계를 거친다.

[15] Hassett, Anne. *The Sojourn*. Trafford Pub. (2009)

[16] Dubowski, Cathy. *Rugrats Go Wild*. Simon Spotlight (2003)

Child: Yes.

Adult: What did you say she did?

Child: She <u>holded</u> the rabbits and we petted them.

Adult: Did you say she *held* them tightly?

Child : No, she <u>holded</u> them loosely.

(12) Child: <u>Nobody</u> <u>don't</u> likes me.

Adult: No, say "Nobody likes me."

Child: <u>Nobody</u> <u>don't</u> like me.

Adult: No, now listen carefully, say, "Nobody likes me."

Child: Oh, <u>no</u>body <u>don't</u> like me.

위의 대화를 보면 아이는 성인의 말을 따라하는 것이 아님을 알 수 있다. 우리가 외국어학습의 경우에 자주 들을 수 있는 "나를 따라하시오(Repeat after me, please)"의 원리가 모국어습득에는 전혀 적용되지 않고 있음을 알 수 있다. 성인은 동사 *hold*의 불규칙 과거형인 *held*를 반복적으로 아이에게 가르치려고 하지만 아직 준비가 안 된 아이에게 반복에 의한 규칙의 학습은 무익하다는 것을 알 수 있다. 아이는 무의식적으로 동사원형에 과거시제 접사 ·*ed*를 붙여서 동사의 과거형을 만드는 규칙동사의 과거형 규칙(root V + ·*ed* → past verb)을 불규칙동사에도 확대 적용하는 과잉 일반화의 현상을 보여주고 있다. (11)에서 아이는 *She held the rabbits*라고 말하는 대신에 *She holded rabbits*라고 말한다. 그러다 충분한 습득의 단계에 이르면 형식적인 문법교육이 없이도 아이들은 문법적인 문장으로 전환한다. (11)에서 성인은 형태(form)에 초점을 두고 있지만 아이는 내용(content)에만 초점을 맞추고 있기 때문이다. 반대로 (12)에서는 아이는 이중부정은 긍정이 된다는 문장 내용은 무시하고 부정문에서 이중부정의 형태를 반복한다. 성인은 정확한 형태를 제시함으로써 아이의 과잉일반화를 수정하려고 하지만 역시 소용이 없다는 것을 보여준다. 즉, 아이의 모국어습득은 반복에 의한 학습이 아니라 일정한 예견이 가능한 실수의 단계(predictable missteps)를 거치는 자연스러운 선천적 언어능력에 기초한 습득의 과정이기 때문이다. 따라서 아기는 앵무새(rote learning)가 아닌 언어천재(system building)라고 할 수 있다.

셋째, 언어의 무한성(language infinity)과 창의성(creativity)의 증거는 언어학이 언어능력과 관련한다는 것을 입증한다. 생성문법은 무한하게 문법적인 문장들을 생성해낼 수 있는데 아래 문장들을 살펴보자.

(13) a. Which boy do you think read the paper?

b. Which boy did you say you thought read the paper?

c. Which boy did you remember you said you thought read the paper?

(14) a. I know the man.

b. I know the man who owns the car.

c. I know the man who owns the car that lost a wheel.

d. I know the man who owns the car that lost a wheel which killed the dog.

e. I know the man who owns the car that lost a wheel which killed the dog that harassed the cat.

f. I know the man who owns the car that lost a wheel which killed the dog that harassed the cat that chased the rats.

(15) a. Linguistics is interesting.

b. George thinks that linguistics is interesting.

c. John thinks that George thinks that linguistics is interesting.

d. Mary thinks that John thinks that George thinks that. . . .

위의 문장들은 다소 지루하고 쓸모없기는 하지만 결코 문법적으로 하자가 있는 문장은 아니다. 위의 문장에서 *which boy*와 read의 사이에 (13a)의 문장은 3개의 단어, (13b)의 문장은 5개의 단어, (13c)의 문장은 7개의 단어들이 끼어있다. 우리는 이보다 더 복잡한 복합문장을 종속절 삽입(embedding)이라는 회귀적(recursive) 문법규칙에 따라 복합문장을 무한대로 만드는 것이 가능하다.

위의 (13~15)와 같은 회귀적 문장들에 기초하여 우리는 다음과 같은 질문에 답을 할 수 있다.

질문: 언어에서 가장 긴 문장은 무엇인가?
  (What is the longest sentence in a language?)

위 질문의 답으로 언어는 회귀적(recursive)이므로 언어에 가장 긴 문장은 없다 (Language is recursive, there is no longest sentence)라고 말할 수 있다.

무한문장의 생성이 가능하지만 실제의 대화에서는 기억의 한계(memory limitation) 때문에, (14f)와 같은 문장은 실제 대화에서 사용되지 않는다. 그러나 우리는 이러한 문장을 들어보지도 말하지도 않지만, 이러한 문장이 문법적인 문장이라는 것을 잘 알고 있다. 그렇다면 경험되거나 학습되지 않는 (14f)와 같은 문장을 문법적이라고 말할 수 있는 근거는 무엇일까? 인간은 경험하지 않아도 선천적으로 타고나는 언어유전자인 언어능력에 기초하여 문장의 문법성을 판단할 수 있는 언어적 직관(intuition)을 갖고 있는데, 이러한 무의식적(unconscious)이며 함축적(implicit)인 지식이 바로 언어능력이다. 따라서 위와 같은 무한의 복합문장들은 언어수행을 강조한 구조주의문법에서는 경험되지 않는 문장이므로 문법에서 다루지 않았으나 생성문법은 언어의 무한성을 유한한 문법규칙으로 설명함으로써 구조문법의 한계를 극복하였다.

마지막, 네 번째 증거는 언어습득은 유추(analogy)가 아닌 직관(intuition)에 의한 것임을 보여주는 다음과 같은 예문에서 찾아볼 수 있다.

(16) a. John is easy [__ to please __].

b. John is eager [__ to please __].

(17) a. John is too stubborn [to please Bill].

b. John is too stubborn [to please __].

(18) a. They want [his son to become a millionaire].

b. They want [_____ to become millionaires].

위의 예문 (16a)에서 보문절인 to-부정사절의 빈자리의 의미상 주어와 목적어는 각각 일반주어 for us와 John이 되어 '누군가 John을 기쁘게 하는 것이 쉽다 (John is easily pleased/It is easy for us to please John)'는 해석을 갖지만, (16b)에서는 to · 부정사절의 의미상의 주어와 목적어는 (16a)의 문장해석과 정 반대로 John과 someone이 각각 주어와 목적어의 자리에 놓여 'John이 누군가를 기쁘게 하려고 애쓴다(John is trying to please someone)'는 해석을 갖는다. (17b)의 예문에서도 외관상으로는 to · 부정사절의 목적어인 Bill이 (17a)에서 삭제된 것처럼 보이지만 (17b)의 빈자리의 목적어는 John으로 해석된다.[17) (18)에서는 to · 부정사절의 주어가 his son일 때와 빈자리 일 때의 주어와 보어의 수일치는 단수(a millionaire)와 복수(millionaires)로 다르게 나타난다. 이처럼 표면상 유사한 구조를 갖는 것처럼 보이는 문장들의 내부 의미구조는 상당히 다르다는 것을 알 수 있다. 즉 모국어의 언어습득은 문장의 유사한 패턴에 기초하는 유추에 의한 것이 아니라 언어직관, 즉 언어능력에 의한 것임을 알 수 있다.

요약하면 외국어를 배우는 것은 노력에 의한 반복적 학습(learning)인데 반하여 모국어의 경우는 호흡이나 소화와 같은 선천적인 능력이므로 노력 없이도 이

---

17) a. John is too stubborn, so John cannot please *Bill*.

b. John is too stubborn, so we cannot please *John*.

루어지는 습득(acquisition)의 과정이다. 언어습득은 "자연적이고 자동적이며 노력 없이도 일어날 수 있는 과정(natural, automatic and effortless process)"이므로 언어지식이란 선천적으로 타고나는 언어능력에 관여한다. 따라서 문법이란 언어수행이 아닌 언어능력의 모델(a model of competence)이다.

제2장

통사구조와 문법
SYNTACTIC STRUCTURES AND GRAMMAR

1. 생성문법-언어학사의 혁명

생성문법의 태동을 알린 1957년 헤이그의 머튼 출판사에 의해 출간된 Chomsky
의 『통사구조』(*Syntactic Structures*)는 구조주의 문법의 방법과 목적에 대한 도전
이며 언어학사의 혁명(Chomskyan Revolution)이었다.

'언어를 안다는 것은 무엇일까?'라는 질문에 Chomsky는 그의 저서 『통사구조』
에서 우리가 알고 있는 것은 유한한 단어와 규칙의 조합이며 이것이 무한의 문장
을 생성해낸다는 대답으로 변형생성문법의 효시를 이루었다. 변형생성문법은 구
조주의에 대항하는 언어학사의 혁명을 이루었는데 이는 단순히 문법의 새로운 이
론을 제시했기 때문만은 아니었다.

그 이유는 첫째, 문법의 형식화(formalization) 가능성을 보여주었다. 형식화란
언어구조의 비실증적 이론의 가능성을 제시하는 것으로 수학의 형식화를 자연언

어에 적용하였다. 쉬운 예를 들면 아래 도표 (1)에서처럼, 문장은 주부와 술부로 구성된다. 다른 말로 문장은 명사구와 동사구로 형성된다(A sentence consists of a subject and a predicate; a sentence (S) consists of a noun phrase (NP) followed by a verb phrase (VP))는 영어의 문법 규칙을 마치 수학의 덧셈 공식처럼 S = NP + VP (or S → NP VP)와 같은 구구조규칙(phrase structure rules)으로 형식화 할 수 있다(Chomsky 1965). 이러한 문법의 형식화는 기계번역과 같은 컴퓨터 응용언어학의 발전에도 큰 공헌을 하였다.

(1) 문법의 형식화

문장은 주부와 술부로 구성되어 있다
A sentence consists of a subject NP followed by a predicate VP

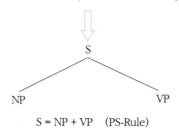

S = NP + VP   (PS-Rule)

둘째, 경험된 한정적 언어자료(experienced finite linguistic data)를 기초로 하는 구조문법과는 달리 구구조의 회귀성(recursion)으로 언어의 본질인 무한성을 증명할 수 있다. 이 무한성의 개념은 언어의 가장 독특한 면인 창의성과 연결되며 언어습득의 설명력을 강화하는 초석이 되었다. 즉, 유한수의 규칙으로 무한수의 문장을 '생성하는(generate)' (Finite rule → Infinite Sentences) 생성문법의 원리는 최소한의 규칙으로 최대한의 문장을 설명할 수 있는 경제성을 강조하며 회귀적인 구구조규칙으로 인간언어의 창조성과 무한성을 설명할 수 있는 문법이다.

셋째, 언어는 무한히 다를 수 있다고 주장하며 보편성을 무시한 구조주의와는 달리 여러 자연언어들의 공통적인 규칙들을 연구하는 생성문법은 선천적인 언어 능력을 설명하는 보편문법(Universal Grammar: UG)의 초석을 마련하였다.[18]

이제 Chomsky의 『통사구조』에서 시작된 통사론의 주요 개념과 특성에 대하여 알아보자.

2. 문법성과 수용가능성

언어는 궁극적으로 언어 스펙트럼의 양끝에 소리(sound)와 의미(meaning)를 두고 그 중간에 소리와 의미를 연결하는 다리와 같은 역할을 하는 문법 (Syntax/Grammar)이 온다. 일반적으로 이는 아래와 같은 T자형의 모델(T-Model)을 제시한다.

(2) T-모델

문법(Grammar/Syntax)
———————————————————————
소리(Phonetic Form)   의미(Logical Form)

T-모델에서 소리와 의미를 연결하는 통사론은 독립적인 유용성(independent usefulness)을 갖는다. 아래 문장에서 무엇이 동사 *read*의 발음과 시제의미 또는 *house*의 품사, 소리 그리고 의미를 결정하는가를 살피고 이를 통해 통사론의 독립적 유용성을 알아보자.

---

[18] Chomsky (1957:50) · "We require that the grammar of a given language be constructed in accord with a specific theory of linguistic structure in which such terms as 'phoneme' and 'phrase' are defined independently of any particular language."

(3) a. The boy <u>read</u> the paper. ([red])

   b. The boys <u>read</u> the paper. ([ri:d] or [red])

   c. Which boy do you think <u>read</u> the paper? ([red])

   d. Which boys do you think <u>read</u> the paper? ([ri:d] or [red])

(4) a. They made the council <u>house</u> filthy. (Noun, [haus])

   b. They made the council <u>house</u> the family. (Verb, [hauz])

Chomsky는 그의 저서 『통사구조』에서 의미와는 독립적인 통사 분석을 위해 적형성 (well‧formedness) 개념과 관련하여 언어능력(competence)에 기초한 통사적인 문법성(grammaticality)의 개념과 언어수행/사용(performance/use)에 기초한 의미적인 수용/용인가능성(acceptability)의 두 가지 다른 개념을 제시하였다. 아래 예문을 살펴보자. 여기서 통사적으로 비적형의 문장은 문장 앞에 * 표시를 사용하고 의미적으로 비적형의 문장은 # 또는 ! 표시를 사용한다.

(5) a. Colorless green ideas sleep furiously.

      (grammatical/unacceptable) (→ well formed nonsense: #)

   b. *Furiously sleep ideas green colorless.

      (ungrammatical/unacceptable) (→ total gibberish: * & #)

위의 (4a)의 문장은 문법적이나 수용가능한 문장이 아니며, (4b)의 문장은 문법적이지도 않고 수용가능성도 없다. 수용가능성(acceptability)은 문법성(grammaticality)과 동일한 개념이 아니다. 문법성은 이론적인 개념으로 문장이 문법규칙에 따라 형성되어지면 문법적이지만, 수용가능성이란 실제 언어수행에서 받아들여질 수 있는가의 사용의 문제와 관련한다. 문법성이 통사적인 언어능력(competence)에 관련한다면, 수용가능성은 실제대화에서 사용가능한지의 여부와 관련되는 언어수행

(performance)의 문제이다. 따라서 Chomsky는 통사적 문법성과 의미적 수용가능성은 구별되어야 한다고 주장한다.

문법성과 수용가능성의 두 개념을 구분하는 대표적 예문으로는 대화인지(speech perception)와 관련된 다음과 같은 미로문(Garden Path Sentences)을 들 수 있다.

(6) a. The horse <u>raced</u> past the barn fell. (G/UA)

   (The horse which was raced past the barn fell.)

   b. The horse <u>ridden</u> past the barn fell. (G/A)

   (The horse which was ridden past the barn fell.)

위의 문장은 대화인지와 관련한 문장으로 (6a)의 문장은 (6b)와 동일하게 문법적인 문장이나 -ed형의 과거분사가 과거동사와 동일한 형태이므로 청자가 raced를 성급하게 본동사로 해석하는 오류를 범하기 쉽다는 점에서 인지가 어려운 미로문이라고 불린다. 따라서 (6a)의 문장은 문법적인 문장이지만 인지가 어려운 문장으로 수용가능성은 없다.

연습문제 1.2(1) (통사적) 문법성과 (의미적) 수용가능성 구분

아래 문장들은 문법적이나 수용가능성이 없는(grammatical but unacceptable) 미로문의 예이다. 각 문장의 주동사와 주어를 판별하고 ("Find the main verb and its subject") 각 문장의 해석을 하시오.

a) [The man who hunts] <u>ducks</u> out on weekends.
b) [British banks] <u>soldier on</u>.
c) [The complex] <u>houses</u> married and single students and their families.
d) [Buffalo buffalo] <u>buffalo</u> Buffalo buffalo.

문법성과 수용가능성의 두 개념을 구분하는 다른 예문으로는 현실세계의 상식에 부합하지 않는 모순된 내용(contradiction or conflict with our views of how the world is)을 갖는 아래와 같은 문장을 들 수 있다. 아래 문장들은 문법적으로는 하자가 없으나 언어수행의 측면에서는 수용가능성이 없는(grammatical but unacceptable: G/UA) 문장들이다.

(7) a. John succeeded in seeing Sue but he didn't see her. (G/UA)

b. My lawnmower thinks that I don't like her. (G/UA)

c. This is four - sided triangle. (G/UA)

d. The dryer always ate my socks. (G/UA)

연습문제 1.2(2) 아래 문장들의 문법성과 수용가능성을 설명하시오.

a) John is a living dead man.
b) Two and two is four.
c) Two and two are five.
d) I plan to travel there last year.

3. 문장과 계층구조

먼저 구구조에 관하여 알아보자. 통사구조에서는 언어구조를 위한 모델로서 직접구성소 분석(immediate constituent analysis)을 기초로 하는 구구조 모델을 제안하고 있다. 통사론의 임무는 단순히 문장의 문법성만을 판단하는 것이 아니고 동시에 각 문장의 적절한 구구조를 규명하는 것이다.

'문장을 만들기 위하여 어떻게 단어들을 결합하는가(How do we combine words to make sentences)?' 단어들의 결합방식을 설명하기 위하여 통사론은 형태론에서처럼 수형도(tree diagram) 구조를 사용하는데 이해를 돕기 위해 먼저 형태론의 형태소(morpheme)에 의한 단어구조 수형도를 살펴보자. 단어의 내부구조는 형태소로 구성되어 있는데, 예를 들면 *unbelievability* (the property of not being able to be believed)라는 한 개의 단어는 최소 의미단위(the smallest meaningful unit)인 형태소 4개(*un-, believe, -able, -ity*)로 구성되어 있고 형태소가 결합하는 방법은 [un[[[believe]able]ity]]]] 또는 [[[[un[believe]]able]]]ity]와 같은 두 가지 방법이 가능한데 이를 수형도로 그리면 각각 아래 (8a)와 (8b)와 같다.

(8) a. [un[[[believe]able]ity]]]]   b. [[[[un[believe]]able]]]ity]

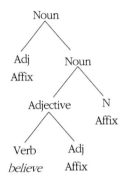
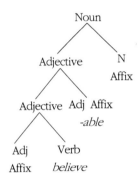

단어가 하위단위인 형태소들로 구성되듯이 문장도 하위단위인 단어와 구로 구성 되는데 이때 단어와 구가 임의로 결합하는 것이 아니라 단어의 결합방식을 결정 하는 구구조규칙(phrase structure rule)이 있다. 앞에서 언급했던 (5)의 문장을 아래 (9)에서 다시 살펴보자.

(9) a. *Colorless green ideas sleep furiously.
    b. **Green sleep furiously ideas colorless.

위의 예문 (9a)와 (9b)는 둘 다 의미적으로 이상한 예문이지만 분명 (9a)의 문 장이 (9b)보다는 좋게 들린다. (9a)의 문장은 영어의 문장구조 규칙(통사론)을 준

수한 문법적 문장으로 의미적으로만 수용가능성이 없는 문장인 반면, (9b)의 문장
은 완전한 횡설수설(total gibberish)의 문장으로 통사적으로 그리고 의미적으로도
잘못된 문장이다. 여기서 우리는 문장 의미와는 별개의 통사구조가 존재한다는
것을 알 수 있다.

'문장이 구조를 갖고 있다(A sentence has a structure)'는 것을 분명하게 설명
하기 위하여 아래 문장에서 왜 (10b)의 문장이 비문이 되는지 살펴보자.

(10) a. The boy gave the girl the book.

　　b.*Boy the gave the girl the book

(11) [Boy　the]　gave　[the　girl]　[the　book].
　　　N　　D　　　　　N　D　　(N: Noun, D: Determiner)
　　　①　　　　　　　　②

위 문장에서 왜 (10b)의 문장이 비문법적인 문장일까? (10b)의 문장이 비문이 되
는 이유가 [boy the]의 N, DET 어순이 뒤바뀐 것이라면 (10a)와 (11)에서 [girl the]
의 어순은 왜 허용되는가? 이는 문장이 단순히 단어들을 선형적으로 나열하는 수
평구조(flat structure)가 아니라는 것을 보여준다. (11)에서 동일한 명사구 내에서
순서의 뒤바뀜을 보여주는 ①[boy the]와 서로 다른 명사구에서 나타나는 ②[girl]
[the]는 선형상의 순서(linear order)가 문법성을 결정하는 것이 아니라는 것과 내
부 통사구조에 관여하는 문법규칙이 존재한다는 것을 보여준다. 따라서 이러한
예문은 문장이 계층구조를 갖고 있다는 것을 설명한다.

(12) 문장은 수평구조가 아니라 구성소/구구조/계층적 구조를 갖고 있다.
　　　(Sentences are not just strings of words, but have
　　　constituent/phrase/hierarchical structures)

(13)

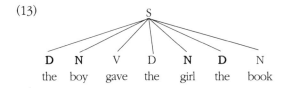

(13)의 구조는 단어가 구를 형성하지 않고 바로 문장을 만드는 구 없는 구조로 위와 같은 선형구조에서는 명사 N이 한정사 D 앞에 오는 것이 가능하므로 단어 간의 관련성을 설명하기가 불가능하다. 따라서 문장의 구조는 단순한 단어들의 연결인(linear strings of words) 수평구조가 아니다.

그렇다면 문장은 어떠한 구조를 갖는가? 문장은 (14)에서와 같이 단어, 구, 문장을 형성하는 계층적 구조를 갖는다.

(14)[19]

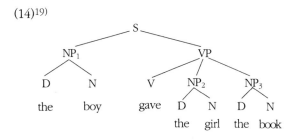

(14)의 구조는 (13)의 구조와는 달리 단어가 구를 형성하고 구는 다시 문장(S)을 형성하는 작은 단위가 좀 더 큰 단위를 만들어내는 하상접근방식(bottom-up approach)으로 계층적 구조(hierarchical structure)를 만든다. 위의 (14)구조는 구가 없는 (13)과 달리 NP₁, NP₂, NP₃, VP, S처럼 단어가 구와 절을 만드는 구(절)구조(phrase structure)를 형성하는데, 이때 만들어지는 각 단위들은 단어의 그룹(a

---

[19] 수형도에서 문장(Sentence)을 표시하는 방법은 문장의 약자 S를 쓰다 굴절구(Inflectional Phrase)의 약자로 IP로 쓰다가 최근에서 시제구(Tense Phrase)의 약자로 TP라고 쓴다. 여기서는 문장이 선형구조가 아니라 계층구조임을 설명하기 위한 것이므로 가장 이해하기 쉬운 S표기를 사용한다. 또한 TP를 사용하면서 주로 사용하는 X-bar 구조가 아닌 단순화 2계층 구조로 표현한다.

group of words)인 구성소(constituent)를 만들어 단어 간의 관련성을 설명하는 것이 가능해진다. 위와 같은 (14)의 구조에서는 앞서 언급한 (11)의 ①[boy the]와 ② [girl] [the]의 차이점은 한 구성소 NP₁ 안에서 어순이 바뀐 [boy the]와 두 개의 다른 구성소 NP₂, NP₃에서의 [girl], [the]의 관계라는 점에서 왜 어순이 바뀐 전자의 N, D는 비문법적이고 후자는 어순이 바뀌어도 상관없이 문법적인지의 설명이 가능해진다.

4. 통사범주: 어휘범주와 구범주

단어는 범주표지(category label)를 갖는데 범주표지를 품사(part of speech: POS) 또는 (통사)범주(syntactic category)라고 부른다. 범주에는 명사(Noun: N), 동사 (Verb: V), 형용사(Adjective: A), 부사(Adverb: Adv), 한정사(Determiner: D), 전치사 (Preposition: P), 조동사(Auxiliary: Aux), 시제(Tense: T), 보문소(Complementizer: C), 접속사(Conjunction: Conj) 등이 있으며 8품사 대신 최근에는 N, A, V, P, T, D, C가 주요 범주의 기능을 한다. 한정사 D에는 관사(article: *a, the*), 지시사 (demonstrative: *this, that*), 소유사(possessive: *his, my,* etc)가 이에 속한다.

범주(category)에는 단어인 어휘범주(lexical category)와 이 어휘범주가 다른 요소와 결합한 구범주(phrasal category)의 두 가지가 있는데 예를 들면 N, A, V, P는 어휘범주이고 이 어휘범주의 상위단위인 NP(Noun Phrase 명사구), AP(Adjectival Phrase 형용사구), VP(Verb Phrase 동사구), PP(Prepositional Phrase 전치사구), AdvP(Adverbial Phrase 부사구) 등은 구범주에 속한다.

통사범주들은 상보적 분포관계(complementary distribution)에 있으며, 통사범주의 결정은 단어의 어휘적 의미에 기초하는 의미론에 기초하는 것이 아니라 단어의 통사적 위치(syntactic position)가 통사범주(syntactic category)를 결정하는 통사론적 분포이론에 따르는 것이 일반적이다. 따라서 문장 내의 단어 위치만 보고도 어떠한 범주가 그 자리에 올 수 있는지 판단이 가능하다.

연습문제 4(1) 통사적 위치에 의한 통사범주 판별
[syntactic position → syntactic category]:

통사적 위치가 통사범주를 결정한다. 아래 빈 칸에 들어갈 품사를 통사적 위치로 판별하시오.

a. The ___ was crying in the garden yesterday.
b. I never ___ that it made any difference.
c. Susan likes the ____ man in the blue hat.
d. Susan likes the very smart ____ in her class.
e. The girls are ____ the tree in the national park.
f. I believe ___ my son is honest.
g. She ____ go there.
h. The man ____ loves Mary is my brother.

한편 NP, AP, VP, PP와 같은 구들은 각각 N, A, V, P 핵(head)에 다른 요소가 결합하여 이루어진 것인데 이때 구는 오직 한 개만(one and only one)의 핵을 필수적으로 요구한다. 핵이란 수식어나 보충어와 달리 구의 본질을 결정하는 핵심적인 요소이다. 모든 구범주는 오직 하나만의 핵을 가질 수 있는데 이는 핵이 두 개 이상이거나 또는 없어서도 안 된다는 것을 의미한다. 예를 들어, 명사구 NP의 핵은 N이고(e.g. a tiny ball), 형용사구 AP의 핵은 A이며(e.g. completely inadequate), VP의 핵은 V이다 (e.g. sleep on the couch). 이때 핵은 없어서도 안 되고 여러 개가 있어도 안 되고 반드시 1개만 나타난다. 따라서 구는 아래와 같이 1개의 핵을 중심으로 구로 투사하는 내심성(endocentricity)을 갖는 핵중심구조를 갖는다.

(15)[20]
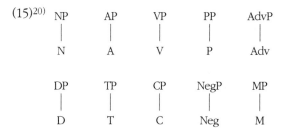

모든 구와 절이 한 개의 핵을 필수적으로 요구하는 내심성을 준수한다면 문장의 핵은 무엇인가? 문장(S)의 핵을 표현하기 위하여 굴절(Infl)을 핵으로 갖는다고 가정하여 IP(Inflectional Phrase)로 불리다가, 최근에 와서는 시제(Tense)를 핵으로 갖는다고 가정하여 문장을 TP(Tense Phrase)로 나타낸다. 따라서 핵중심구조의 관점에서 문장은 TP가 된다.[21] S와 TP는 동일한 표기로 설명의 필요에 따라 상호 교환적(interchangeably)으로 사용이 가능하다.

5. 구성소 구조와 수형도

단어가 구를 만들고 구가 다시 문장을 만드는 단어의 결합방법을 규칙으로 설명한 것이 구구조규칙(phrase structure rule: PS-rule)이다. 구구조규칙은 어떤 결합방식으로 단어로부터 구가, 구로부터 문장이 형성되는가를 설명한다. 예를 들면, 서술어(predicate)인 동사구(Verb Phrase: VP)는 동사(Verb: V)와 목적어 자리의 보충어인 명사구(NP 또는 DP)가 결합하여 이루어지는데 이를 구구조규칙으로 표현하면, VP → V + NP(DP)이다.[22] 주어와 목적어가 동시에 동사와 결합하는

---

[20] NP(Noun Phrase), AP(Adjectival Phrase), VP(Verb Phrase), PP(Prepositional Phrase), AdvP(Adverbial Phrase), DP(Determiner Phrase), TP(Tense Phrase), CP(Complementizer Phrase), NegP(Negative Phrase), MP(Modal Phrase)

[21] Chomsky(1957)의 AUX는 Chomsky(1976)에 와서 Infl로 표시되었으며 현재는 Tense와 Modal로 바뀌었다.

[22] 명사구가 한정사(Determiner)인 관사, 지시사, 소유사 등을 갖게 되면 한정사 D가 핵이 되어 NP를

것이 아니라 동사는 목적어와 먼저 결합하여 동사구를 만들고 그 후에 주어와 결합한다. 최종적으로 주어인 명사구와 서술어인 동사구가 합쳐 문장 TP를 만드는데 이는 TP → NP(DP) + VP로 표현한다.[23]

구구조규칙은 상위요소가 갖고 있는 하위구성요소(들)로 다시 쓴다(X → Y, Z; Rewrite X as Y and Z)는 점에서 다시쓰기 규칙(rewrite rules)이라고 불리기도 한다. X → Y, Z와 같은 구구조규칙에서 X, Y, Z, W는 문맥에 제한을 받지 않는 임의적인 요소이므로 구구조규칙은 문맥자유규칙(context - free rule)에 해당한다. 구구조규칙은 위에서 아래로 확장되는데 이를 도식화한 것을 수형도(tree diagram) 또는 구표지(phrase marker: P - marker)라고 부른다.

문장은 크게 주어 NP(DP)와 서술어 VP로 나뉜다. 이때 문장의 동사 V는 목적어 NP(DP)와 먼저 결합하여 서술어인 동사구 VP를 만들고 그 후에 주어 NP(DP)와 결합하므로 주어 명사구와 목적어 명사구는 동사와 관련하여 어순뿐만 아니라 그 계층적 구조가 다르다. 문장이 주어와 서술어로 구성되는 구구조규칙과 수형도의 예를 들면 아래와 같다. (16a)는 구구조규칙이고 (16b)는 수형도이다.

(16) a. TP → DP(NP), VP

VP → V, DP(NP)

b.

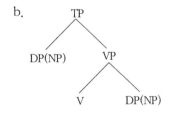

보충어로 갖는 핵 선행 구조인 한정사구(Determiner Phrase)를 만든다. 최근에는 한정사가 없는 경우도 영핵(Null head)을 가정하고 명사구를 전체적으로 DP라고 부르는 이유는 영어는 핵 선행언어 (Head-Initial Language)로서 통일성(uniformity)를 가질 수 있기 때문이다.

[23] TP(=S) → NP + VP에서 화살표(→) 표시는 등호(=) 표시로도 쓰며, 더하기(+) 표시대신 쉼표(,)를 쓰기도 하고 아예 이를 삭제하기도 한다. 따라서 TP = NP + VP; TP = NP, VP; TP = NP VP 는 모두 동일한 구구조규칙 표현방법이다.

절과 문장은 주어와 서술어로 구성된다는 사실을 TP → DP(NP), VP로 형식화하고 수형도로 도식화할 수 있는데 이는 모든 문장에서 주어와 서술어를 나누는 것이 일차적 분석(parsing)임을 알 수 있다.

연습문제 5(1) 주어와 서술어 구분

아래 주절(main clause)과 종속절(subordinate clause)을 포함하는 모든 절에서 주어와 서술어를 구별하시오.[24]

a. After seeing the film, we had a meal in the fancy restaurant in Paris.
b. In Brussels it is freezing cold and rainy during the winter.
c. The supporters of the baseball club down the road destroyed the fence.
d. John believes that Bill knows the answer.
e. Getting into and graduating from an elite university takes a lot of hard work and sacrifice.
f. In one study designed to measure the effects of adversity on children at risk, among a subset of 698 children who experienced the most severe and extreme conditions, fully one-third grew up to lead healthy, successful and productive lives.[25]
g. Now what if the opportunity to choose was given to people?

연습문제 5(2) 서술어 VP → V + 보충어 DP(NP)

주어와 목적어가 동사와 동시에 결합하는 것이 아니라 동사V가 목적어와 먼저 결합하여 (V takes object first to make a predicate) 서술어인 VP를 만들고 VP가 주어와 결합하여 문장을 만드는데(VP takes a subject to make a sentence) 아래 예문은 서술어 VP가 먼저 결합된 목적어와 함께 통사적 규칙의 적용을 받는 증거 예문이다. 아래 문장을 기

---

24) 절과 문장의 차이는 주절과 종속절을 포함하는 것이 문장이며 종속절에는 보충어절, 관계절, 부사절 등이 있다(Sentence includes main clauses and subordinate clauses like complement clauses, relative clauses and adverbial clauses).

25) From TED by Regina Hartley 'Why the best hire might not have the perfect resume' (2016)

초로 동사가 주어와는 무관하게 목적어자리의 보충어와 먼저 결합하여 서술어 VP를 만든다는 것을 설명하시오. (NB: 문법규칙은 한 개 단위로 기능하는 구성소(a constituent)에만 적용된다.)

a. This boy can [show the girl his scars], but that boy cannot [___].
   (√VP‒deletion: [vp show the girl his scars])
a.′ *This boy can show the girl his scars, but that boy cannot show [___].
   (*[NP+NP] deletion: [the girl his scars])
a.″ *This boy can show the girl his scars, but that boy.
   (*[AUX+VP] deletion: [can show the girl his scars])
b. John didn't [____], but Mary went to the movies.
   (√VP‒deletion: [vp go to the movies])
b.′ *John didn't go [____], but Mary went to the movies.
   (*PP‒deletion: [to the movies])
c. This boy [showed the girl his scars] and [told her his old story].
   (√VP‒coordination: [vp1 showed the girl his scars] and [vp2 told her his old story])
d. This boy [showed the girl his scars] and [so did] that boy.
   (√ do‒so substitution: ~ and that boy [vp showed the girl his scars, too] → that boy [vp did so] (동사구 VP를 대동사구 do so로 대치) → so did that boy (so 강조; 주어‒동사 도치)

   이제 완전한 문장의 예로 아래 문장의 구구조규칙과 이에 해당하는 수형도를 살펴보자.

   (17) a. They study syntax.
        b. PS-rules: TP → NP, VP
                     NP → N
                     VP → V, NP
           Lexicon: V → study
                    N → they, syntax

c. Tree Diagram:

```
                    TP
                 /      \
              NP          VP
              |         /    \
              N        V      NP
            They     study    |
                             N
                           syntax
```

위의 수형도에서 문장을 구성하는 성분/구성소(constituent)는 NP, VP인데 이를 문장 TP의 직접 구성소(Immediate Constituent: IC)라고 한다. 구성소란 범주를 지칭하며 이때 범주란 어휘범주와 구범주 둘 다를 포함한다.

이제 위의 수형도와 관련한 몇 가지 기본 용어를 알아보자.

(18) 수형도와 기본 용어

(i) 절점 TP는 NP와 VP의 모(母)이고 NP와 VP는 자매이다.

그러나 N과 V는 자매가 아니다.

(The node TP is the mother of NP and VP, and NP and VP are sisters, i.e., NP and VP have the same mother. Note that N and V are not sisters.)

(ii) TP라고 표시된 수형도의 절점은 수형도의 모든 다른 절점을 관할하고, NP와 VP는 직접 관할한다. TP가 직접 관할하는 NP와 VP는 TP의 직접 구성소이다.

(The node of the tree labelled TP dominates everything else in the tree and TP immediately dominates NP and VP. The nodes NP and VP which are immediately dominated are immediate constituents (IC) of TP)

(iii) 구성소란 계층구조 안에서 한 개 단위로 기능하는 한 단어 또는 단어들의 그룹을 말한다. 즉, 구성소란 동일한 모(母)를 갖는 수형도의 모든 구분을 말한다.

(A constituent is a word or a group of words which function(s) as a single unit within a hierarchical structure. A constituent is any section of tree that has a single mother.)

연습문제 5(3) 수형도 기본 용어이해

위의 수형도 (17c)에 기초하여 아래 질문에 답하시오.

a. What is the mother of each of the NP's?
b. Which nodes does VP dominate?
c. Which nodes does VP immediately dominate?
d. What are the daughters of VP?
e. What are the immediate constituents of TP?
f. Which sets of nodes are sisters?
g. Which nodes does TP dominate?
h. What are the daughters(constituents) of each NPs?

구성소(constituent)란 통사론에서 문법규칙이 적용되는 기본 요건으로 아주 중요한 개념이며 구구조가 만드는 계층적 구조는 구성소 구조가 되므로 다음과 같은 가설이 주장된다.

(19) 문장은 구성소/구구조/계층 구조이다.

(A sentence is a constituent/phrase/hierarchical structure.)

여기서 앞서 언급한 구성소의 정의를 예문을 통해 좀 더 자세히 알아보자.

(20) The boy gave the girl the book.[26]

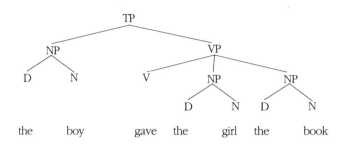

구성소란 문법규칙과 관련하여 '한 개 단위로 역할을 하는 단어들의 그룹(a group of words that functions together as one unit)'을 말한다. 구성소는 문법운용의 기본 요건이므로(only constituents can be a target of linguistic operations) 구성소는 통사론에서 가장 중요한 개념이다.

먼저 문장의 예를 통해 구성소 관계를 찾아보자. 위의 문장(20)에서 D *the*와 N *boy*는 NP *the boy*의 구성소이고, 이는 NP *the girl*과 NP *the book*에도 동일하게 적용된다. V *gave*, NP *the girl*, NP *the book*은 VP *gave the girl the book*의 구성소이고 NP *the boy*와 VP *gave the girl the book*은 TP의 구성소이다.

그렇다면 위의 문장 (20)에서 구성소 관계가 아닌 것은 어떠한 것들이 있는가? N *boy*와 V *gave*는 구성소 관계가 아니며 N *girl*과 그 뒤에 오는 *the book*의 D *the*도 구성소 관계가 아니다. 또한 VP의 구성소인 V *gave* NP *the girl* NP *the book* 3개의 범주를 완전 포함하는 것이 아닌 2개의 범주만을 포함하는 V *gave*와 NP *the girl*도 구성소 관계가 아니다. 형식적인 용어로 요약하면, 구성소 관계는

---

26) 문장 (20)의 수형도에서 명사구를 NP가 아닌 좀 더 세분화된 DP로 그리면 아래와 같다. DP구조는 X′-구조에서 상세히 논의하겠다.

관련된 모든 구성소를 포함해야 하는 완전포함(exclusive inclusion)의 관계이며 관할의 관점에서 보면 완전(포괄)관할(exhaustive domination)이다. 즉 D와 N을 완전 포함하는 NP는 구성소이고 또한 NP는 D와 N을 완전(포괄) 관할한다.[27]

연습문제 5(4) **도식과 구성소 판별**

아래 주어진 도식을 보고 a와 같이 질문에 Yes/No로 답하시오.

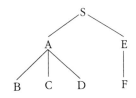

a. B와 C는 A의 구성소이다. (No)

b. B, C, D는 A의 구성소이다. (   )

c. C와 D는 A의 구성소이다. (   )

d. A와 E는 S의 구성소이다. (   )

e. F는 E의 구성소이다. (   )

f. D와 F는 구성소이다. (   )

g. A는 B, C, D를 완전(포괄) 관할한다. (   )

---

[27] 관할(domination)의 관점에서 보는 구성소란 한 개의 절점이 완전하게(포괄적으로) 관할하는 종단절점의 집합이다. (Constituent: A set of terminal nodes exhaustively dominated by a particular node.)

제3장

통사범주와 구구조
SYNTACTIC CATEGORIES AND PHRASE STRUCTURE

1. TP 구조

영어의 구와 문장의 내부구조를 표현하는 가장 일반적인 방법은 곽 괄호표지 (Labelled Bracketing)와 수형도(Tree Diagram)이다. 먼저 구구조규칙과 기본적인 수형도를 연습해보자. 문장 TP는 주어 NP와 서술어인 VP로 구성된다.[28]

    (1) a. TP → NP, T, VP   e.g. [She] [will] [wash the dishes].

      b. T: [Tense][AGR][AUX][Modal][to_{inf}]

---

28) 즉 문장 S는 통사론에서 TP로 표현되며 S와 동일한 개념이다.

c. AUX: *have (+p.p), be (+p.p), do* … [-modal, +finite]

    Modal: *will, would, can, could, should* … [+modal, +finite]

    Non-finite tense marker: *to* [+modal, -finite]

한 개의 핵을 필수적으로 요구하는 구구조규칙에 따르면 문장도 핵이 있어야 하는데 문장의 핵은 시제 T로 간주된다. 문장의 핵인 시제(Tense)를 T로 범주표시하며 T의 자리에는 시제와 일치(agreement)자질, 일반 조동사(Aux)와 양태 조동사(modal) 그리고 *to* - 부정사(시제)표지(*to* - infinitive marker or infinitival tense particle)가 올 수 있다.[29]

    T의 자리에 나타나는 조동사의 범주를 좀 더 자세히 살펴보면 아래 예문에서처럼 상(aspect) 조동사, 법(mood) 조동사, 양태(modal) 조동사, 태(voice) 조동사, 의미가 없는 기능범주인 명목(dummy) 조동사 *do* 그리고 비한정절을 나타내는 *to* - 부정사 표지 등이 포함된다. 조동사는 본동사(main verb) 앞에 나타나고 시제, 상, 양태와 같은 특질을 포함하며 본동사 없이는 나타날 수 없는 본동사를 도와주는 보조동사(helping verb)이다. 따라서 문장에서 조동사 없는 본동사는 있으나 본동사 없는 보조동사만은 있을 수 없다. 조동사가 나타나는 문장의 경우 조동사가 T의 자리에 나타나므로 T가 가지고 있는 시제자질과 결합한다. 따라서 아래 예문 (2)처럼 시제는 본동사가 아닌 조동사에 나타나므로 조동사가 나타날 때의 본동사는 시제 없는 원형이 온다.

(2) a. I could write a book.

---

29) *to*-부정사절의 부정사시제 표지인 *to*는 전치사(preposition)가 아니라 기능 범주(functional category)로 양태 조동사에 속한다. 아래 문장에서처럼 동음이의어인 전치사와 *to*-부정사시제 표지를 혼동하지 않도록 주의하라.

  (i) I look forward to seeing you. (to = preposition)

  (ii) The restaurant does its best to serve guests quickly and in a courteous manner to maintain its excellent reputation. (to = to - infinitive marker)

b. *I can wrote a book.

c. I wrote a book.

이제 조동사가 나타나는 예문을 살펴보자.[30]

(3) a. I am/was writing a book. ((progressive) aspectual auxiliary)

b. I have/had written a book. ((perfect) aspectual auxiliary)

c. This book is/was written by me. (passive auxiliary)

d. The company has been taxed. (aspectual passive)

e. The company has been being taxed. (aspectual progressive passive)

f. *Do/Did* you like writing a book? (dummy auxiliary)

조동사 가운데 양태조동사(modal (auxiliary))는 문장에서 여러 개가 올 수 있는 다른 조동사와는 달리 한 개만 나타나는 특성 때문에 다른 조동사와 분리하여 양태조동사라 부르는데 주로 가능성(ability), 허락(permission), 의무(obligation), 필요성(necessity), 의지(intention)나 예측가능성(probability) 등을 포함하며 *can/could, may/might, must, have to, should, need to, will/would* 등이 이에 속한다. 따라서 일반 조동사는 (4c, f)처럼 2개 이상 올 수 있으나 양태 조동사는 (4d)에서처럼 2개 이상 올 수 없다.

(4) a. I *can/could* write a book. (modal (auxiliary))

b. I *will/would* write a book. (modal auxiliary)

---

[30] AUX는 조동사(auxiliary verb)의 약자로 *do, could, will* 등과 같은 양태조동사(Modal)를 포함하므로 AUX는 세분화하여 Modal의 M으로 표현되기도 하고, 다시 굴절(Inflection)을 의미하는 I(NFL)로 바뀌었다가 최근에는 포괄적으로 시제(Tense)를 의미하는 T로 표현하는 것이 가장 일반적이다.
(i) AUX → M → I → T

c. The company will have been being taxed three times this year.[31]

   (modal+*aspectual*+*progressive*+*passive* → 1 modal/3 AUXs[-modal])

d. *The company will can have been being taxed three times this year.

f. The company will be able to have been being taxed three times this year.

또한 *to*·부정사(시제)표지도 [+modal]의 자질을 갖는다. 따라서 양태조동사와 *to*·부정사(시제)표지는 아래 (5c)에서처럼 함께 나타날 수 없다.

(5) a. You should help him.

   b. You should have helped him. (one modal + AUX[·modal])

   c. *You should to help him. (No two modals)

to·부정사절의 시제는 주절의 시제와 상대적으로 파악하거나 미래시제 부사로 알 수 있다. *to*·부정사(시제)표지는 아래 (6a·e)에서처럼 항상 상대적 시제 (relative tenses)를 나타낸다. 또한 *to*·부정사시제표지는 (6g)처럼 과거시제부사 와는 쓰일 수 없고 부정사시제표지 *to*는 미래를 나타내므로 (6f)처럼 미래시제 부사와 같이 쓰일 수 있다.

(6) a. He wants *to* go.

   Q: Who goes? Ans: I [He wants [he to go]] (동일명사구삭제)

   Q: When? Ans: [Present + Present] 시제 동일 *to+V*

   b. He wanted *to* go. [Past + Past] 시제동일 *to+V*

   c. He wanted *to* have gone. [Past + Past Perfect]

   시제 비동일 *to have+pp*

---

[31] This example is from Aarts, B (2001:42)

d. He want to have gone.   [Present + Past]

　　　　　　　시제 비동일 *to have+pp*

e. Patrick seems to have left. [Present + Past]

　　　　　　　시제 비동일 *to have+pp*

(→ It seems that Patrick left.) [Present + Past] (*that* - 절)

f. We are now expecting him to be impeached *tomorrow*.

(→ We are now expecting that he will be impeached tomorrow.)

g. We expected/*were expecting him to be impeached *yesterday*.

h. Leo decided to sing in the shower right then.

i. Lina believes Leo to sing in the shower (*right now).

j. Lina believes Leo to be singing in the shower right now.[32]

연습문제 1(1) 　조동사[+tense] + 본동사[−tense]

아래 문장의 빈칸에 'establish'의 알맞은 동사 형태를 쓰시오.

a. In today's competitive global economy, our company must ____ contacts quickly to build new trade relationships.
b. The second semiconductor production line might have been _____ by SMT Company.
c. Local governments need to _____ local specific labor policies and employment strategy.

연습문제 1(2) 　조동사 vs 본동사

아래 문장에서 *be, do, have*동사가 조동사인지 본동사인지를 판별하시오.

---

[32] Examples (f. g) are from Radford (2009) and examples (h, i, j) are from Wurmbrand (2007). 현재 진행형이 아닌 단순현재의 경우는 시제와 무관하게 총칭적/일반적 의미를 갖는다.

a. He *is* always friendly.

b. I *have* a syntax book.

c. I *have* writt*en* three books on writing.

d. There *is* a pen on the desk in the classroom.

e. Jeremy *is* laughing loudly.

f. A committee of 3 people is to *be* chos*en* from them.

g. She *didn't* do her homework.[33]

h. I'll *do* the dishes tonight since you cooked.

g. I *DO* know him very well.

연습문제 1(3) 양태 조동사의 독립성

아래 문장에서 양태 조동사는 왜 동사구 VP의 일부가 아닌 독립범주인지를 설명하시오.
(NB: A modal is not a part of VP.)

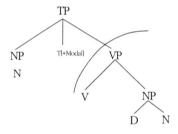

a. *Can* the boy __ solve the problem. (Subject – Aux Inversion: SAI)

b. The boy *can* and *will* solve the problem. (Coordination)

c. Mary *will* go there, and Tom *will* ___, too. (VP–deletion)

d. *Mary *will* go there, and Tom ____, too. (*[T+VP] – deletion)

e. *Will* you marry me? Yes, I will ____. (*Yes, I ____.)

f. She might sing tonight, but I don't think she *will* ____.

g. *She might sing tonight, but I don't think she ____.

---

[33] 역사적으로 부정어는 본동사 뒤에 오다가 초기 현대영어 이후 조동사 *do*의 출현과 함께 조동사와 함께 쓰이기 시작했다. (i) I loved you not. (*Hamlet*) → I didn't love you.

2. NP, VP, PP, AP, AdvP 구조

지금까지 문장 TP가 구성소로 어떠한 요소들을 갖는지 살펴보았다. 다음으로 영어의 명사구 NP(DP)는 어떠한 내부구조를 갖는지 알아보자.

(7) NP → (D)(AP)* **N** (PP)*(CP)

    a. NP → **N**   e.g. Mary, he, she

    b. NP → D, **N**   e.g. the book, this book, his book

    c. NP → D, AP, AP, AP, **N**   e.g. the big round red ball[34]

    d. NP → D, **N**, PP, PP, PP   e.g. the pillow on the couch in the room of that building[35]

    e. NP → D, **N**, CP   e.g. the fact that he met the girl, the man who I met

위의 다양한 명사구 구구조규칙에서 선택적인 요소를 원 괄호처리하면 (7)과 같이 핵인 N만이 괄호밖에 남는 영어의 명사구 구구조규칙이 형성된다. 이제 이러한 명사구의 특질을 좀 더 자세히 살펴보자.

영어에는 한정사 없이 쓰이는 원형명사구(Bare Noun Phrase/Determinerless Noun Phrase)가 있는데 고유명사(proper noun), 대명사(pronoun), 추상명사 (abstract noun), 물질명사(mass noun)인 *John, he, she, it, liberty, love, truth, water, sugar, sand, hair* 등이 이에 속한다. 반면에 (8c)처럼 가산명사(countable noun)인 보통명사(common noun)가 단수로 쓰일 때는 반드시 한정사가 필요하며 복수형일 경우 관사는 선택적이다.

---

[34] 형용사구는 무한대로 명사 앞에서 수식이 가능하다.

    e.g. our *three beautiful big square old white English wooden study* desks

[35] 전치사구는 무한대로 명사 뒤에서 수식이 가능하다.

    e.g. The cat on the mat near the door beside window in this room on the second floor

(8) a. *the John; *a smart John; *a he; *the she; *she who came[36]

b. *an advice; *a news; *a bread (mass noun)

c. tigers; the tiger(s); a tiger; *tiger (countable common noun)

연습문제 2(1) (관사) + 가산명사 + (복수형)

아래 문장의 빈칸에 *invitation*의 맞는 형태를 쓰시오.

a. _____ for a formal dinner honoring the founder of the company will soon be mailed to the employees.

연습문제 2(2) 원형명사구

대명사(pronoun)은 명사구를 대신(in place of noun phrase)하는 것이므로 원래는 대명사구(pronoun phrase)가 맞는 명칭이다. 아래 문장이 문법적인 이유를 설명하시오.

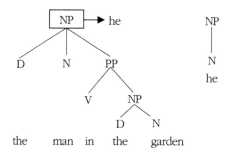

a. The man in the garden is my brother.
   He is my brother.
   *The he in the garden is my brother.
b. I like [the woman in the blue hat].
   I like [her].
   *I like the her in the blue hat.
c. [The woman] blushed and [she] said nothing.

---

36) 고유명사나 대명사는 관사가 필요 없는데 *only you*의 *only*는 부사이다.

연습문제 2(3) [관사 + 고유/물질/추상명사] → 보통명사화
Mass Nouns → Countable Nouns

물질명사는 관사/수사를 갖지 않는데 물질명사 앞에 관사 또는 수사가 오면 물질명사는 보통명사의 의미로 바뀐다. 아래 문장을 해석하시오.

a. How *many* sugars in your tea? *Three* sugars, please.
b. He has *two* hairs on his chin.
c. I want to be *a* Newton.
d. There are three Marys in my class.
e. "Lillian, this is not *the you* that I know! *The you* that I know would have walked in here and rolled your eyes and thought that this was completely over the top, ridiculous, and stupid!"[37]

연습문제 2(4) 원형명사 vs 보통명사

원형명사와 보통명사는 그 의미에 차이가 있다. 아래 문장들의 의미해석의 차이점을 설명하시오.

(i) a. John went home. (John's home)
   b. John went to his home. (Ambiguous reading)
(ii) a. John was in control of the army. (John = agent)
   b. John was in the control of the army. (John = theme)
(iii) a. John lost his interest. (somebody else's interest)
   b. John lost interest in English. (John's interest)
(iv) a. Happiness consists in contentment. (abstract noun)
   b. I now have the happiness of being with you. (common noun)
(v) a. In case of emergency, call 911.
   b. In the case of relative clauses, head nouns come before them.
(vi) a. A reserved seat for the concert is available at the box office for the additional fee.

---

[37] From the comedy film *Bridesmaids*

b. Reserved seating for old people and the challenged people is available.
(vii) a. Do you want room for cream in your coffee?
　　b. Do you want your own room?

이제 위의 (7)에 나타난 여러 명사구의 수형도를 세분화된 DP 구조가 아닌 NP 구
조로 그리면 아래와 같다.

(9) a.

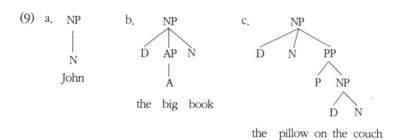

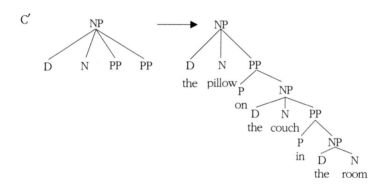

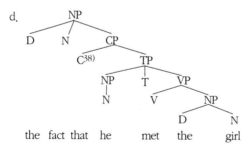

_____

38) Comp는 complementizer의 약자로 C라고도 쓰며 C의 보충어가 문장이라는 점에서 보문소라 부른다.

위의 명사구의 구조를 보면 명사구 NP에서 N은 없어서는 안 되는 요소로 한 개만 요구되므로 이를 핵(head)이라 부른다. 핵은 여러 개가 될 수 없고 없어서도 안 되는 반면에 이러한 핵을 수식하고 있는 형용사구 AP나 전치사구 PP의 경우는 여러 개가 올 수 있다. 이때 원하는 만큼 범주 반복이 가능하다(Repeat this category as many times as you like)는 의미를 갖는 이는 Kleene star라고 불리는 괄호 밖의 별표(*) 표시 또는 + 표시를 사용한다. (( )* , + → 2개 이상 가능)

영어 명사구의 특징으로는 한정사 D는 한 개만 나타날 수 있다.[39] 영어의 한정사에는 *a(an), the*와 같은 관사(article), *this, that, these, those*와 같은 지시사(demonstrative) 그리고 *my, your, whose, 's*와 같은 소유사(possessive) 그리고 *some, no, every* (**all*)와 같은 양화사(quantifier)가 있는데 영어 명사구의 구조에서는 이러한 요소들이 들어갈 수 있는 한정사의 자리는 하나뿐이다.[40] 따라서 **a my book*과 같은 명사구를 만드는 NP → D, D, N 구구조규칙은 불가능하다는 것을 알 수 있다. 따라서 한정사 D 중의 하나인 소유사 *my*를 전치사구 PP 형태인 *of mine*으로 바꾸면 *a book of mine*이 되고 이는 (7)의 구구조가 허용하는 NP → D, N, PP의 구조로 바뀌면 맞는 구구조규칙이 된다.

따라서 한정사가 여러 개이거나 명사구에 명사 핵이 없거나 명사 핵이 여러 개이거나 아니면 영어의 명사구 구구조규칙인 (7)이 만들어 낼 수 없는 다음과 같은 명사구 구조는 허용되지 않는다.

(10) a. *the this lette   (*NP → D, D, N)   (two Ds)

    b. *his slowly   (*NP → D, AdvP)   (no head)

    c. *that book cat   (*NP → D, N, N)   (two heads)

    d. *slowly the letter   (*NP → AdvP, D, N)   (Not AdvP before D)

---

[39] 한정사 D가 한 개만 오는 영어의 특징은 영어의 명사구 NP를 한정사구 DP(Determiner Phrase)로 보는 최근 분석의 관점에서는 D가 DP의 핵이 되므로 한 개만 올 수 있다는 것은 당연하다.

[40] 예외: *all the* books / *Many a* man comes and goes/ *such a* book.

영어의 한정사 D(ET)

영어의 명사구 NP에 한정사는 오직 한 개만 올 수 있다. 따라서 아래의 명사구 NP는 한 정사가 두 개가 나타나 (*NP → D, D, N) 비문법적이므로 문법적인 명사구가 되도록 a–c처럼 아래의 구들을 고치시오. 답이 여러 개인 경우는 모두 다 쓰시오.

a. *a my book (*NP → D, D, N)
   → a book of mine (NP → D, N, PP)
b. *There is no your fault. (*NP → D, D, N)
   → no fault of yours (NP → D, N, PP);
     none of your fault (NP → N, PP)
c. *the Korea's language (*NP → D, D, N)
   → the language of Korea (NP → D, N, PP);
     the Korean language (NP → D, AP, N)
d. *The Dr. Elstad's house →
e. *My friend's father's bank →
f. *every the book →
g. *some my friends →
h. *a my favorite →
i. *a your student →

지금까지 영어의 명사구 NP 구조를 살펴보았다. 이번에는 영어의 동사구 VP 가 어떠한 내부구조를 갖는지 알아보자.

동사는 크게 보충어가 필요 없는 자동사(intransitive verb), 보충어가 한 개 필요 한 타동사(transitive verb) 그리고 보충어가 두 개가 필요한 이중 타동사(ditransitive verb)로 나뉘는데 그 예를 들면 다음과 같다.

(11) VP → **V**, (NP) (NP) (AP) (PP) (CP)

    a. VP → **V**   e.g. sleep, smile

    b. VP → **V**, NP   e.g. hit the ball

c. VP → **V**, NP, PP   e.g. give the book to Mary

d. VP → **V**, NP, PP   e.g. send Mary a bunch of flowers

e. VP → **V**, CP   e.g. know that John is very tall

f. VP → **V**, NP, CP   e.g. convince Mary that she will win a victory

g. VP → **V**, AP   e.g. be fond of Mary[41]

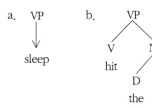

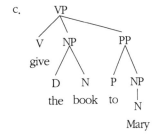

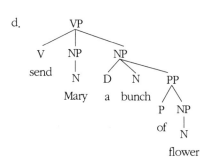

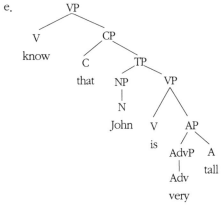

---

41) VP → V, AP에서 동사는 형용사구를 보충어로 취하는데 이때 동사는 *be* 동사일 경우만 가능하다.

f.

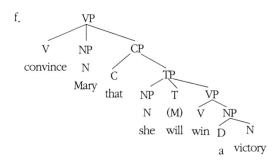

g.

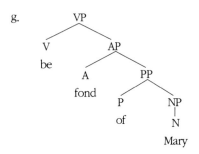

이번에는 영어의 전치사구 PP가 어떤 내부구조를 갖는지 알아보자.

(12) a. The flower vase is on the table.

   b. There was no answer from inside the dark house.

      - Complex PP: *out of, from behind, in front of, because of,*

                    by means of, up to, as for, next to, along with

   c. He is uncertain about what you said to me.

   d. He sits on the mat in the room.

(13) PP → **P**, NP

   a. PP → **P**, NP   e.g. on the table

   b. PP → **P**, PP   e.g. out of the window

      PP → **P**, NP

      (*PP → P, P, NP)

c. PP → **P**, CP   e.g. about what you said to me

d. PP → **P**, NP   e.g. on the mat in the room

NP → D, N, PP

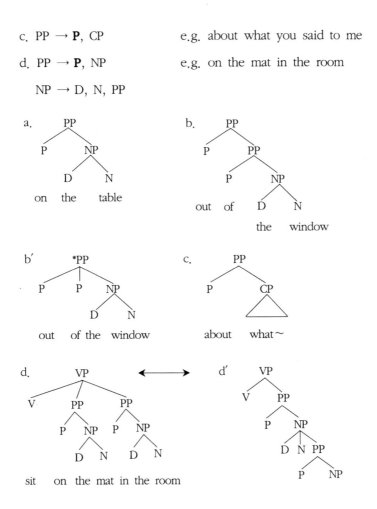

(13a)는 전치사가 한 개인 단순 전치사구이고 (13b)는 전치사가 2개 이상 나타나는 복합전치사(complex PP)의 경우인데 (13b′)와 같은 수형도를 그리지 않는 이유는 전치사구 PP의 핵인 전치사 P가 두 개가 와서 핵은 오직 하나만(one and only one head)와야 한다는 구구조규칙을 위배하기 때문이다. 또한 전치사가 NP뿐만 아니라 명사절도 보충어로 취할 수 있는데 이러한 경우는 (13c)에서처럼 *wh*절일 경우에만 가능하다. 전치사구가 여러 개 나타나는 경우는 이분지(binary branching) 구조에 좀 더 가까운 (13d′)가 수식관계를 더 잘 나타내준다. 즉 하위

의 PP *in the room*이 자매(sister)관계에 있는 *the mat*을 수식하는 관계가 이분지 구조에서 더욱 분명하다.

이제 마지막으로 형용사구 AP와 부사구 AdvP의 구조를 살펴보자.

(14) AP → (AdvP), **A**

    a. AP → **A**   e.g. beautiful

    b. AP → AdvP, **A**   e.g. very beautiful

    c. AP → **A**, PP   e.g. be fond of syntax

 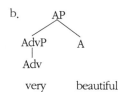

(15) AdvP → (AdvP)*, **Adv**

    a. AdvP → **Adv**   e.g. carefully

    b. AdvP → AdvP, **Adv**   e.g. very carefully

 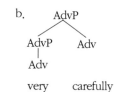

수형도 연습

아래 구와 문장의 수형도를 그리시오.

a. she, he, Mary, John (NP)

b. a beautiful girl (NP/DP)

c. a very beautiful girl (NP/DP)[42]

d. go, sleep (VP)

e. saw Mary (VP)

f. see Mary yesterday (VP)

g. on the floor (PP)

h. on the floor of the room (PP)

i. I will wash the dishes. (TP)

j. John put the book on the table. (TP)

k. This boy will speak very slowly to that girl. (TP)

l. The boy sat in the chair. (TP)

m. The boy is angry about the girl. (TP)

n. He has become fond of Mary. (TP)

o. John and the man went to the store. (TP)

p. John sleeps and Mary runs. (TP)

q. I think that John saw Bill. (TP)

r. I consider [that *he* is smart]. (TP) [한정절]

s. I consider [*him* to be smart]. (TP) [비한정절 (예외격(ECM)구문)]

---

[42] *NP → D, AdvP, AP, N는 영어의 가능한 구구조규칙이 아니다. *a very beautiful girl*에서 수식관계를 살펴보면 부사구 *very*는 형용사 *beautiful*을 수식하며 (*very beautiful*), 반면 부사 *very*는 명사 *girl* 과 무관하다(*a very girl*). 즉 선형구조가 아니라 계층구조이므로 부사구는 형용사를 수식하고 다시 형용사구인 *very beautiful*이 명사 *girl*을 수식한다.

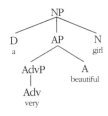

t. I consider [*him* smart]. (TP) [비한정절 (소절(small clause))]
u. John wants Mary to go. (TP) (John wants [Mary to go])
v. John wants to go. (TP) (John wants [~~John~~ to go])
w. John made Mary very sad. (TP)
x. I know [the girl who John loves]. (TP) [관계절(relative clause)]
y. I know [the fact that John loves the girl]. (TP) [동격절(appositive clause)]

연습문제 2(7) 수형도 연습

'that'의 차이에 유의하여 아래 밑줄 친 부분의 수형도를 그리시오.

a. John thinks <u>that students should eat asparagus</u>.
b. John thinks <u>that student should eat asparagus</u>.

3. 구성소 표현방법

지금까지 살펴본 수형도 외에도 구성소를 표현하는 방법에는 곽 괄호 표지 (Labelled Bracketing)의 방법과 상자그림 표현(Graphic Representation with Boxes) 등의 방법이 있다. 수형도가 구성소의 수직적 관계를 나타내는 명시적인 방법으로 한 번에 구성소 관계를 알아보기 쉽다는 장점이 있지만 공간을 많이 차지한다는 단점을 보완하기 위해 수평적으로 구성소의 구조관계를 표현한 것이 곽 괄호 표지와 상자그림 표현의 방법이다. 곽 괄호 표지의 방법은 기계번역 등의 분야에서 가장 일반적으로 많이 쓰이는 방법이다.

곽 괄호 표지와 상자처리의 예를 들면 다음과 같다.

(16) 곽 괄호 표지(Labelled Bracketing)

[TP [NP [D The] [N boy]] [VP [V hit] [NP [D the] [N ball]]]].

(17) 상자그림 표현(Graphic Representation with Boxes)

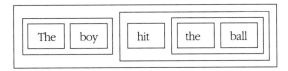

　　곽 괄호 표지의 방법은 먼저 각 단어를 곽 괄호 표시하고 곽 괄호 옆에 해당하는 N, V, A, P와 같은 범주표지를 한 다음, 구 단계의 단어결합을 위해 관련된 단어끼리 묶어 다시 곽 괄호를 표시하고 NP, VP, AP, PP와 같은 구범주 표지를 붙인다. 구단계가 끝나면 최종적으로 주어와 서술어를 묶어 곽 괄호 표지를 붙이고 최종적으로 문장 표지인 TP를 붙이면 곽 괄호 표지에 의한 구성소들 사이의 구조 관계 표현이 끝난다. 상자그림 표현의 방법도 곽 괄호 표지와 동일한 방법으로 하는데 범주표지는 하지 않는다. 수형도, 곽 괄호 표지, 상자그림 표현들 모두가 단어가 구를 형성하고 구가 문장을 만드는 방법인 통사규칙을 명시적으로 설명하기 위한 것이다.

연습문제 3(1)　　곽 괄호 표지 연습

아래 구와 문장의 곽 괄호 표지를 하시오.

a. I haven't seen this sentence before.
b. John and the man went to the store.
c. The very small boy kissed his mother.
d. Brown said that he decked the janitor.
e. I spared the students any embarrassment in the syntax class.

제4장

구성소와 구성소 검증
CONSTITUENT AND CONSTITUENCY TESTS

1. 구성소

　　구성소(constituent)란 '문법규칙과 관련하여 한 개 단위로 기능하는 구성성분 (a single unit with respect to the rules of grammar)'으로 통사적으로 의미적으로 독립 단위인 한 개 이상의 단어 연결을 말한다. 즉 단어, 구, 절 또는 문장의 독립 적 구분을 말한다.

연습문제 1(1)　　**구성소 판별**

아래 수형도를 참고하여 아래 문장의 [　　]된 부분이 구성소인지를 밝히시오.

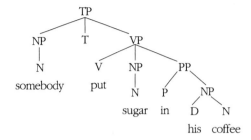

a. Somebody put sugar [in his coffee].

b. Somebody put sugar in [his coffee].

c. Somebody [put sugar] in his coffee.

d. Somebody put [sugar in] his coffee.

e. [Somebody] put sugar in his coffee.

f. Somebody [put sugar in] his coffee.

g. [Somebody put] sugar in his coffee.

Hint: A: <u>Where</u> did you put sugar?

      B: <u>in his coffee</u> or <u>his coffee</u> (PP or NP)

      A: <u>Which coffee</u> did you put sugar in?

          (preposition – stranding 전치사고립: left behind)

          <u>In which coffee</u> did you put sugar?

          (pied – piping 동반이동: dragged)[43]

연습문제 1(2)　　**구성소 판별**

아래 문장의 밑줄 친 부분이 구성소인지를 밝히시오.

a. *What* did she find in the garden?

 – She found <u>a lovely</u> dog in the garden.

   She found *it* in the garden.

---

[43] The colorful pied · piping metaphor is based on a traditional fairy story in which the pied · piper in the village of Hamelin enticed a group of children to follow him out of a rat · infested village by playing his pipe.

b. *What* is so terrible?
 – The <u>snowy weather</u> is so terrible.
   It is so terrible.
c. *Who* did Mary like?
   She liked <u>the students in her syntax class</u>.
   She liked *them*. (*She liked them in her syntax class.)
d. *Who* are fighting?
   <u>John and Ana</u> are fighting.
   They are fighting.
e. *What* do you wonder?
   I wonder <u>if Mary has finished packing her books</u>.
   I wonder *it*. (*I wonder if it.)

연습문제 1(3) 구성소 판별

전치(preposing)의 문법운용은 구성소에만 적용된다. 아래 문장의 밑줄 친 부분이 구성소 인지를 밝히시오.

a. <u>Her friends</u>, Mary can see on Monday in Daejeon, but her enemies, she can see anytime. (Preposing of NP)
b. <u>On Monday</u>, Mary can see her friends in Daejeon, but on Tuesday, she has to go to the conference. (Preposing of PP)
c. <u>In Daejeon</u>, Mary can see her friends on Monday, but in Seoul, she has to see her business partners. (Preposing of PP)

연습문제 1(4) 구성소 판별

아래 문장에서 곽 괄호 부분이 구성소인지 아닌지를 말하시오.

a. The [prisoner escaped].
b. [The prisoner] escaped.
c. It is interesting [to study linguistics].

d. [It] is interesting to study linguistics.

e. It is interesting to [study linguistics].

f. [To study linguistics] is interesting.

g. We did [do it].

h. We [did do it].

i. [That he saw it] is possible. (CP = 명사절 주어)

j. It is possible [that he saw it].

k. It is possible that [he saw it]. (*He saw it is possible.)

l. [That he saw it is possible].

2. 문장 구성소 가설과 검증방법

문장이 구성소 구조라는 것을 어떻게 증명할 수 있는가? Chomsky(1957)의 『통사구조』에서 그는 등위접속(coordinating conjunction)의 예를 통해 문장은 구성소 구조를 갖는다는 증거를 제시했는데, 이후 연구된 구성소 검증(constituency test)을 통하여 문장의 구성소 가설을 증명해보자.

아래 (2)에서 열거한 7개의 통사적 구문에 대한 실증적 증거를 통하여 문장은 선형구조가 아니라 단어가 구를 형성하는 구구조, 계층적인 구성소 구조라는 가설을 입증할 것이다.

(1) 가설 : 문장은 계층적인 구성소 구조를 갖는다.

(Hypothesis: A sentence has a hierarchical constituent structure.)

(2) 구성소 구조에 관한 실증적 증거:

증거1 : 구조적 중의성(Structural Ambiguity)

증거2 : 등위접속(Coordination)

증거3 : 삽입(Intrusion)

증거4 : 대치(Substitution/Replacement)

증거5 : 삭제(Deletion)

증거6 : 이동(Movement)

증거7 : 조각문(Sentence Fragment)

2.1 구조적 중의성(Structural Ambiguity)

언어적 중의성에는 구조적 중의성 외에도 구조와는 무관한 어휘적 중의성과 의미적 중의성이 있다. 통사론과 관련한 구조적 중의성을 살펴보기 전에 어휘적 중의성과 의미적 중의성을 먼저 간단히 살펴보자. 어휘적 중의성은 단어 자체가 사전적으로 두 가지 이상의 의미를 갖는 경우이고 의미적 중의성은 구조가 동일한 경우에도 양화사가 영향권(scope)에서 의미의 차이를 만드는 것을 말한다. 예를 들면, 아래 예문에서 *every*가 *some*보다 광 영향권(wide scope)을 가지면 '모든 사람이 연인이 있다'는 배분적(distributive) 뜻이고 *some*이 *every*보다 광 영향권을 가지면 '특정한 한 사람을 모든 사람이 사랑한다'는 집합적(collective) 뜻이 되어 두 가지 다른 해석이 가능하다.

(3) a. 어휘적 중의성(Lexical Ambiguity)의 예:

　　　- constituency, the passion of the Christ, Royal Jester, bank, right, the capital of England, English - free zone

　　b. 의미적 중의성(Semantic/Scope Ambiguity)의 예:

　　　- Everyone loves someone.

　　　　int. (i) Everyone has each lover.

　　　　　　(everyone 〉 someone: distributive reading)

　　　　　　(ii) There is at least one woman loved by everyone.

　　　　　　(someone 〉 everyone: collective reading)

어휘적 중의성

아래 문장을 해석하시오.

a. I'll meet you by *the bank*, in front of the automated teller machine.
b. I'll meet you by *the bank*. We can go swimming.

지금부터 문장이 구성소 구조임을 증명해주는 여러 가지 증거들을 살펴보겠다. 첫 번째 증거인 통사적/구조적 중의성의 문제를 논의해보자.

  (4) 증거1 : 문장에서 중의성이 나타나는 것은 구조가 계층적 구성소 구조이기
      때문이다.

어떻게 한 개의 문장이 두 개 이상의 의미를 가질 수 있는 것일까? 그 이유는 문장이 계층적이기 때문에 한 개의 문장이 두 개 이상의 다른 구조를 갖는 것이 가능하다. 문장이 선형적인 수평구조(flat structure)라면 한 개의 문장은 한 개의 해석만을 갖게 되고 따라서 중의적인 문장은 나타날 수 없다. 즉, 중의적인 문장이 나타나는 이유는 한 문장이 서로 다른 두 개 이상의 구조를 가질 수 있는 계층적 구조이기 때문이다. 해석 또는 번역을 한다고 할 때 엄밀하게 말하면 문장을 해석하거나 번역하는 것이 아니라 문맥에 맞는 문장의 구조를 해석하거나 번역하는 것이다. 요약하면, 문장의 의미는 그 문장이 가질 수 있는 가능한 구조의 수와 비례한다(의미 : 구조 = 1 : 1).[44]

---

[44] 문장의 해석은 문장과 의미가 1:1이 아니라 문맥에 상응하는 구조와 의미가 1:1로 상응한다.
  (n Structure = n Meaning) (n Sentence ≠ n Meaning)
  이는 하나의 그림이 2개의 다른 이미지를 갖는 착시(optical illusion)의 중의적 이미지와 유사하다.

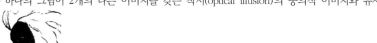

  (William Ely Hill (1887–1962)–"My Wife and My Mother-in-Law")

구조적 중의성에는 (5a)와 같이 수식어가 어떤 명사를 수식하는가와 같은 군 중의성(grouping ambiguity)과 (5b)와 같이 구성소의 문법적(기능적) 관계(예, 주어, 목적어)와 관련되는 기능적 중의성(functional ambiguity)이 있다. (5a)에서 곽 괄호 처리된 구성소를 보면 AP인 *expensive*가 *wine*만을 수식하는 '비싼 와인과 치즈'라는 첫 번째 해석이 있고 AP *expensive*가 등위 접속된 *wine and cheese*구 전체를 수식하면 '비싼 와인과 비싼 치즈'라는 다른 해석을 갖게 되어 구조적 중의성이 나타난다. (5b)에서는 *visiting*을 *professor*를 수식하는 현재분사(int. 방문교수)로 볼 수도 있고 또는 동명사(gerund)(int. 교수를 방문하는 것)로 볼 수도 있다.

(5) a. They served [[*expensive* wine] and cheese].

   They served [*expensive* [wine and cheese]].

   b. [*Visiting* professors] can be boring.

이제 곽 괄호로 표시된 구조적 차이에 유의하여 아래 예문을 살펴보자.

(6) a. [NP [NP very old men] and [NP women]]

   ("old" has scope only over "man")

   b. [NP [AP very old] [N men and women]]

   ("old" has scope over "man and women")

a.

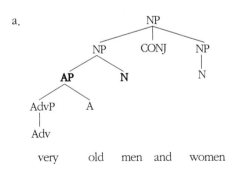

b.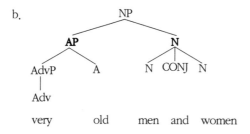

(7) a. I like [NP [AP Egyptian] [N cotton shirts]].

("cotton shirts made in Egypt")

b. I like [NP [AP Egyptian cotton] [N shirts]].

("shirts made of Egyptian cotton")

(8) a. The boy [VP [V saw] [NP the man] [PP with the telescope]].

(int. Using the telescope, the boy saw the man.)

b. The boy [VP [V saw] [NP [NP the man] [PP with the telescope]]].

(int. The boy saw the man. The man had a telescope.)

Q: What is the scope of "with the telescope"?

Does it modify "saw the man"?

Does it modify only "the man"?

위의 (8)의 문장의 수형도를 그리면 각각의 다른 해석을 갖는 두 구조는 아래와
같다. 두 다른 구조의 해석을 위한 수식의 원리(Principle of Modification)는 다음
과 같다. "구범주 XP와 핵인 Y가 자매관계에 있다면 구범주 XP가 핵 Y를 수식한
다(XP modifies some head Y when XP is a sister to Y)." 따라서 (8a)에서 PP
*with the telescope*는 자매관계의 핵 V를 수식하여 '망원경을 가지고 보았다(saw
s/o with the telescope)'의 뜻이 되며 (8b)에서 PP with the telescope는 자매관계

의 핵 N을 수식하여 '망원경을 가진 남자(the man with the telescope)'의 뜻을 갖
는다.

a.

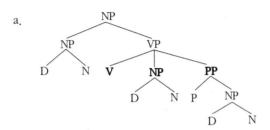

The   boy saw the   man with the telescope

b.

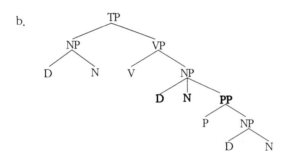

The   boy   saw   the   man with the   telescope

(9) a. He saw [NP [D her] [N duck]].

   b. He saw [NP her] [VP duck].

(9a)의 구조는 *her duck*이 NP로 '그녀의 오리를 보았다'라는 해석을 갖지만 (9b)
의 구조는 *her*가 소유형용사가 아닌 대명사이고 *duck*은 명사가 아니라 지각동사
saw 뒤에 오는 동사의 원형으로 동사의 해석을 갖는다.[45]

---

[45] *duck*의 자동사 뜻으로는 '물속으로 쑥 들어가다, 머리를 갑자기 물속에 넣다, 무자맥질하다, 머리를
갑자기 숙이다, 몸을 구부리고 달아나다, 피하다, (구어) 꾸벅 절하다' 등이 있다. 구조적으로 통사적
범주가 결정되면 이에 맞는 어휘의 선택은 맥락(context)에 의존한다.

(10) a. John [VP [Vi ran [PP [P down [NP my garden path]]].

(Vi + prepositional phrase PP: 'down' - preposition)

([down my garden path] → constituent)

a′. *John <u>ran</u> my garden path <u>down</u>. (down: preposition)

b. John [VP [Vt ran down]] [NP my garden path]].

(Vt + complement NP: 'down' - particle or adverb)

- Vt: phrasal verb/complex verb/two-word verb

([down] [my garden path] → not constituent)

b′. John <u>ran</u> my garden path <u>down</u>. (down: particle)

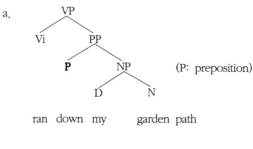

a.

ran down my   garden path

(P: preposition)

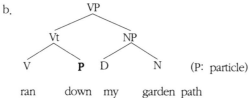

b.

ran down my   garden path

(P: particle)

(10)의 문장은 동음이의어인 *down*이 전치사구의 핵인 전치사(preposition)가 될 수도 있고 구동사(phrasal verb)의 일부를 구성하는 첨사(particle)가 될 수도 있기 때문에 (10a, b)와 같은 2개의 다른 구조를 만든다.[46] '아래쪽으로'라는 장소를 나타내는 전치사 *down*은 전치사구의 핵이므로 구성소 PP를 만들고 P의 목적어인

---

[46] 구동사는 두 단어동사(two-word verb), 복합동사(complex verb), 이어동사 등으로 불리며 동사와 첨사 두 개의 단어가 묶여 한 개의 자동사를 만들기도 하고 타동사를 만들기도 한다.

NP도 구성소를 형성한다. 그러나 첨사 *down*은 동사 *ran*과 함께 구를 만드는 것이 아니라 *ran*과 *down*이 묶여 하나의 동사, 즉 '찾아내다'라는 타동사 *ran down*을 만들고 구동사의 목적어로서 NP를 취한다. 따라서 전치사와는 달리 [P+NP]는 각각 다른 모(母)절점을 가지므로 구성소가 아니다. (10a)에서는 PP와 NP가 둘 다 구성소이나 (10b)에서는 NP만이 구성소이다. 이 구조의 또 다른 차이점은 (10 a′)에서처럼 전치사는 그 이름처럼 명사구 앞에 전치(prepose)해야 하므로 이동이 불가하나 첨사는 부사(adverb)와 같은 속성을 가지고 있어 (10b′)처럼 명사구 뒤로 이동이 자유롭다.

연습문제 2.1(1)　전치사구 PP vs 구동사 V

아래 문장에서 *out*가 전치사 P인지 아니면 구동사(phrasal/complex verb)를 형성하는 첨사 P인지를 구별하고 그 이유를 설명하시오.

a. My uncle went [**out** the door].
b. My uncle [threw **out**] the door.

Q: Does "out the door" function the same in both sentences?
　 How do you know?
A: In (a), PP[+location] for 'go'
　 ('out the door' is the place where he went)
　 In (b), NP[+object] for 'throw out'
　 ('the door' is being thrown out)

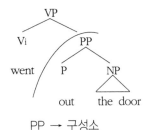

PP → 구성소

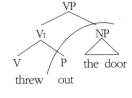

P + NP → 구성소 아님

Hint: My uncle went THERE.   *My uncle threw THERE.

Where did my uncle go?   (Out) the door.

What did my uncle throw out?   *Out the door.

My uncle went [PP out the door] and [PP into the yard].

*My uncle throw out [NP the door] and [PP into the yard].

My uncle throw out [NP the door] and [NP the table].

*My uncle went the door out.

My uncle threw the door out.

연습문제 2.1(2) 전치사구 vs 구동사

아래 문장에서 *down*이 전치사구의 P인지 아니면 구동사(phrasal/complex verb)를 형성하는 첨사(particle) P인지를 구별하고 그 이유를 설명하시오.

(i) a. She [VP turned [PP down the side street]].

  b.*She turned the side street down.

  c. Where did she turn?

  She turned there.

(ii) a. She [VP [V turned down] [NP his offer]].

  b. She turned his offer down.

  c. What did she turn down?

  *She turned it.

연습문제 2.1(3) 어휘적 중의성 vs 구조적 중의성

아래 문장을 어휘적 중의성과 구조적 중의성으로 구분하고 설명하시오. 구조적 중의성인 경우는 꽉 괄호로 구성소를 표현하고 각 구조에 해당하는 해석을 쓰시오.

a. The pen is empty.

b. Are the chickens ready to eat?

c. This old car needs new brakes and antifreeze.

d. That's just a crazy economist's idea.

e. I understand money matters.

f. The dog looked at the snake longer than the cat.

g. Don't sit on those glasses!

h. I know clever people like you.

i. She fed her dog meat.

j. John loves you more than Susan.

k. Woman without her man is nothing.

연습문제 2.1(4) 구조적 중의성

아래 문장들은 구조적 중의성을 갖는 문장들이다. 중의적 해석에 따른 각각의 구조를 수형도 또는 곽 괄호로 표현하고 각 구조에 해당하는 해석을 쓰시오.

a. Black cab drivers went on strike yesterday.

b. Mary writes books on trains.

c. The boy and the girl's uncle stayed to dinner.

d. Mary hit the man with a stick.

e. The man killed the king with a gun.

f. They found the boy in the library.

g. The mother of the boy and the girl will arrive soon.

h. The government didn't expel the embassy from Iraq.

i. Flying planes can be dangerous.

j. The butler polished the boots in the kitchen.

k. I know a man with a dog that has fleas.

연습문제 2.1(5) 명사구의 구조적 중의성

선형구조상에서 [D, AP, N1, N2]처럼 2개의 명사가 오는 명사구의 경우 명사를 수식하는 형용사구는 N1를 수식할 수도 있고 [D, [AP, **N1**], N2], N2를 수식할 수도[D, AP, [N1,

N2]] 있다. 따라서 아래 명사구는 중의적이다. 곽 괄호 구조에 유의하여 a와 b처럼 c~e 구조에 해당하는 해석을 쓰시오.

a. a tall rose grower:
  [a [tall **rose**] grower] vs [a tall [rose **grower**]]
  → "a grower of tall rose" vs "a tall grower of rose"

b. a French language teacher:
  [a French **language**] teacher] vs [a French [language **teacher**]]
  → "a teacher who teaches French language" vs
    "a language teacher from France (who can teach other subject)"

c. an Italian restaurant owner:
  [an [Italian **restaurant**] owner] vs [an Italian [restaurant **owner**]]
  →

d. a trendy furniture designer:
  [a [trendy **furniture**] designer] vs [a trendy [furniture **designer**]]
  →

e. a foreign car owner:
  [a [foreign **car**] owner] vs [a foreign [car **owner**]]
  →

연습문제 2.1(6) 구문분석의 적용과 실제

듣기와 말하기를 포함하는 대화의 오류를 막기 위해서는 구조적 중의성을 포함하는 구문 분석(parsing)을 제대로 알고 분석의 기본인 구성소를 이해해야만 한다. 아래 문장 a와 b 는 "TFCS(Tools for Clear Speech) – Thought groups (https://tfcs.baruch.cuny. edu/thought-groups/)"로부터 발췌한 문장이다. a 문장의 밑줄 친 부분을 통사적 용어 로 설명하고, b 문장은 마침표 표기 없이 연결된 문장들이다. 위의 TSCS 사이트의 청취 녹음을 기초하여 (/) 기호로 구성소 표기를 하고 각 문장의 끝에 마침표를 붙이시오. b 문장과 같은 방식으로 c 문장도 구성소 표기를 하시오.

a. Thought groups allow you to organize your speech into <u>groups of words that make up a single idea</u>. They help your listener(s) better understand the information in your speech by organizing your ideas into comprehensible "packages" that are easy to process.

b. A few years ago I felt like I was stuck in a rut so I decided to follow in the footsteps of the great American philosopher Morgan Spurlock and try something new for thirty days the idea is actually pretty simple think about something you've always wanted to add to your life and try it for the next thirty days it turns out thirty days is just about the right amount of time to add a new habit or subtract a habit like watching the news from your life.[47]

c. Big data is going to transform how we live, how we work and how we think. It is going to help us manage our careers and lead lives of satisfaction and hope and happiness and health, but in the past, we've often looked at information technology and our eyes have only seen the T, the technology, the hardware, because that's what was physical. We now need to recast our gaze at the I, the information, which is less apparent, but in some ways a lot more important. Humanity can finally learn from the information that it can collect, as part of our timeless quest to understand the world and our place in it, and that's why big data is a big deal.[48]

2.2 등위접속(Coordination or Coordinating Conjunctions)

증거2 : 동일 범주의 구성소만이 등위접속이 가능하다.

(Only identical constituents can be conjoined.)

등위접속사(coordinator)에는 *and, or, but, either ... or, neither ... nor, both*

---

[47] TED Talk by Matt Cutts, entitled "Try Something New for 30 Days"

[48] TED Talk by Kenneth Cukier, entitled "Big data is better data"

... *and, not only ... but (also)* 등이 있다. 등위접속사에 의한 등위접속의 경우에 아래 (11)처럼 병렬구조(parallel structure)를 만드는데 이때 접속요소(conjoined element)는 동일한 범주이어야 한다. 왜냐하면 이는 문장이 구성소 구조이기 때문이다. 아래 도형 (11)에서처럼 XP는 XP범주와 X범주는 X범주와 접속이 가능하므로 등위접속에서 동일한 유형의 범주만이 접속이 가능하다. (X = variable for N, A, V, P, Adv, D, etc)

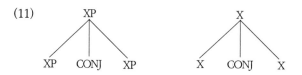

(11)

예를 들면, NP는 NP와 N은 N과 등위접속이 가능하며 PP는 PP와 P는 P와 등위접속이 가능하다. 동일한 유형의 범주만이 접속이 가능하므로 아래와 같은 등위접속 구문은 모두 비문법적이다.

(12) a. *XP and YP   e.g. *NP and PP

     b. *XP and X   e.g. *NP and N

     c. *X and Y   e.g. *N and P

이제 동일 범주의 구성소만이 등위접속이 가능한지 아래 예문을 통하여 살펴보자.

(13) a. [AP [AP old] [CONJ and] [AP useless]]

     b. [NP [NP a computer] [CONJ and] [NP a keyboard]]

     c. [VP [VP likes tea] [CONJ and] [VP hates coffee]]

     d. [PP [PP on the table] [CONJ and] [PP in the cupboard]]

     e. [ADVP [ADVP wilfully] [CONJ and] [ADVP mercilessly]]

f. [TP [TP They arrived at 10 a.m] [CONJ and]

[TP They left at 6 p.m]]

g. [TP [TP We will not offer this student a place] [CONJ but]

[TP we can recommend a College that will]]

h. [P [P to] [CONJ and] [P from]] the house

i. [[AP very big] [CONJ and] [AP ugly]]

[AP [very [A big] [CONJ and] [A ugly]]]

m. [v [v kiss] [CONJ and] [v hug]] your dad

n. [VP [VP kiss your mom] [CONJ and] [VP hug your dad]

o. [NP John] and [NP the man] went to the store.

p. *[NP John] and [AP very blue] went to the store.

q. *John went to the store [TP to buy it] and [NP selling it].

등위접속과 병렬구조

아래 문장에서 병렬구조의 접속요소들(conjoined elements)에 밑줄을 그으시오.

a. He has a cat and a dog.

b. The scene of the movie and of the play was in Chicago.

c. *The scene of the movie and that I wrote was in Chicago.

d. John wrote a letter and a postcard.

e. ?John wrote a letter and to Fred.

f. *Mary plays the piano and at home.

g. John is a very kind and considerate person.

h. Good linguists and philosophers are rare.

i. J. R walks and talks like a true Texan.

j. You can bring these and those books.

k. He opened the door quite slowly and deliberately.

l. It was raining yesterday and the day before.

m. He may go to London and visit his mother.

n. *She likes cooking and to eat.

o. I can't say whether he should go or he shouldn't go.

p. We're looking up and down for a doctor.

q. You can choose to go or to stay.

r. She is fond of cats and afraid of dogs.

s. The cat and the dog sat on the mat.

t. The cat sat on the mat or in the box.

u. He is pretty stupid, but quite eager.

v. The conditions of theoretical efficiency and of practical use are in conflict.

w. In the name of the Father, and of the Son, and of the Holy Sprit.

x. The husband and wife came together.

연습문제 2.2(2) 등위접속과 병렬구조

아래 각 예문의 등위접속 문장 중 적절한 병렬구조를 사용하고 있는 문장을 고르시오.

① a. Tom has wit, charm, and he has an extremely pleasant personality.

   b. Tom has wit, charm, and pleasing personality.

② a. He wanted three things out of college: to learn a skill, to make good friends, and to learn about life.

   b. He wanted three things out of college: to learn a skill, to make good friends, and learning about life.

③ a. John was a brilliant strategist, a caring mentor, and friend.

   b. John was a brilliant strategist, a caring mentor, and a wise friend.

④ a. We found the film repulsive, offensive, and we thought it was embarrassing.

   b. We found the film repulsive, offensive, and embarrassing.

⑤ a. Prof. Ali rewarded his students for working hard on the final project and going beyond the call of duty.

   b. Prof. Ali rewarded his students for their hard work on the final project and going beyond the call of duty.

⑥ a. They encourage the government to establish and enforce a national minimum drinking age.

b. They encourage the government to establish and enforcing a national minimum drinking age.

⑦ a. He'd like to drink coke rather than beer.

b. He'd like to drink coke rather than drinking beer.

연습문제 2.2(3) 등위접속과 병렬구조

아래 주어진 문장의 문법성을 기초로 등위접속을 어긴 비문은 정문으로 고치고 정문인 경우는 왜 정문인지 설명하시오.

a. *He was ill. But he was not absent.

b. *He neither had money nor food.

c. *He is neither very cleaver nor very industrious nor very a strong man.

d. *He is talking about hiking and to climb the mountain.

e. *It not only explains how real English works but consolidating readers' understanding of the language.

f. We can explore our environment in any way we choose and at our own pace.

g. I will wash the dishes and clean the floor.

h. His words were short and to the point.

연습문제 2.2(4) 등위접속과 병렬구조

아래 문장에서 병렬구조의 접속요소들(conjoined elements에 밑줄을 그으시오.

a. He came home from the factory, took a nap, studied until 4 a.m, went back to work and repeated this cycle every day for three months.[49]

---

[49] From TED by Regina Hartley "Why the best hire might not have the perfect resume" (2016)

b. Big data is going to transform how we live, how we work, and how we think.

c. The 4th industrial revolution will transform how we live, work and think.

d. Searching it is easier, copying it is easier, sharing it is easier, and processing it is easier.

e. Three of the traits were ones that people didn't need to look for, but that the machine spotted.[50]

연습문제 2.2(5) 등위접속과 병렬구조

아래 문장 (a)와 (b)는 둘 다 문법적 문장이다. NP → (D) (Adj) N 구조로는 (a) 문장이 문법적이라는 것을 설명할 수 없다. 따라서 아래의 좀 더 상세한 내부구조를 표현하는 X′−구조(X−bar structure)인 DP → D, NP & N′ → AP, N 구조를 참고하여 구성소 관점에서 아래 문장이 왜 둘 다 문법적인 문장인지를 설명하시오.

a. Mary bought the [expensive CD and cheap book].
b. Mary bought [the expensive CD] and [the cheap book].

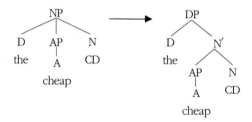

2.3 삽입(Intrusion)

증거 3 : 문장부사는 주 구성소 사이에만 올 수 있다.

　　　(Intrusion of certain types like TP-adverbs is possible only at the boundaries of major constituents.)

---

[50] From TED by Kenneth Cukier "Big Data is Better Data" (2015)

문장부사(TP-adverb)는 문장의 앞과 뒤 그리고 주어와 조동사 사이 조동사와 동사구와 같은 주 구성소 사이에만 올 수 있다.[51) 아래 수형도에서 문장부사가 올 수 있는 위치를 살펴보자.

(14)

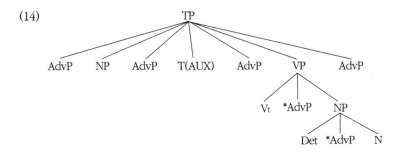

(15) a. *Certainly* I will wash the dishes.

    b. I *certainly* will wash the dishes.

    c. I will *certainly* wash the dishes.

    d. *I will wash *certainly* the dishes.

    e. *I will wash the *certainly* dishes.

    f. I often see my friends.

    g. *I see often my friends.

(15)에서처럼 문장부사는 문장의 맨 앞과 맨 뒤 그리고 주어와 조동사 사이 조동사와 동사구 사이에는 가능하지만 그 외의 자리에는 나타날 수 없다. 가장 틀리기 쉬운 문장부사의 오류는 (15f)에서처럼 동사와 목적어 NP 사이에 부사를 두는 것이다. 불어와 같은 로맨스(Romance) 언어에서는 가능하지만 영어에서는 절대로 타동사와 목적어 자리에 부사가 올 수 없다.

---

51) 부사에는 문장부사(TP-adverb)와 동사구부사(VP-adverb)가 있다.

아래 두 문장의 의미차이를 구성소 검증의 한 방법인 부사구 가능위치의 관점에서 설명하시오.

a. I like oranges <u>best</u>.
b. I like the <u>best</u> oranges.

2.4 대치(Substitution/Replacement)

증거 4 : 구성소만이 대용어 또는 의문사에 의해 대치될 수 있다.

(Only constituent can be the antecedent of a proform or a question word.)

모든 언어는 동일한 문장 또는 대화중 앞서 언급된 대상을 지칭할 수 있는 대용어(proform)를 갖고 있는데 이때 구성소만이 대용어 또는 의문사에 의해 대치가 가능하다.

(16) NP 대용어: 대명사 (Pronoun (phrase) for Noun Phrase)

 a. <u>The man</u> walked into the room and everybody stared at <u>him</u>.

 b. I like <u>the woman in the blue hat</u>.

  I like <u>her</u> (*I like her in the blue hat.)

 c. <u>The man from NY</u> is my brother.

  <u>He</u> is my brother.

 d. What do you think of <u>Fred</u>?

  I can't stand <u>him</u>.

 e. <u>The book on the table</u> is interesting.

  <u>It</u> is mine.

f. <u>My car</u> is OK when <u>it</u> works.

g. <u>The back seat of my car</u> has got books on <u>it</u>.

h. If I find <u>the lid of the kettle</u>, I'll give <u>it</u> to you.

(17) VP 대용어[52]: *do so, do, so, which*

a. John <u>ate the pizza</u> and Mary <u>did so</u>.

b. *John <u>ate</u> the pizza and Mary <u>did so</u> the sandwiches.

c. John <u>ate the pizza</u> in short order but Mary <u>did so</u> in record time.

d. The boy <u>saw the man with the telescope</u> and I <u>did (so)</u>, too.

   He <u>did</u>? He <u>did so</u>!

e. I promised that I will <u>wash the dishes</u>, <u>which</u> I will.

f. *I promised that I <u>will wash the dishes</u>, <u>which</u> I.

g. I will <u>wash the dishes</u>, and <u>so</u> will Mary.

h. *I will <u>wash</u> the dishes, and <u>so</u> will Mary the dishes.

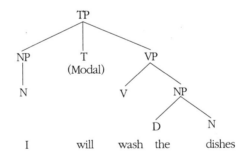

　　T는 동사구의 일부가 아니다. 따라서 동사구의 대용어는 T는 포함하지 않으므로 (17f)의 문장은 비문이 된다. VP 단독으로는 구성소이지만 T와 VP의 결합인 [T+VP]는 VP 구성소가 아니고 구성소만이 대치가 가능하다는 기본 원칙도 어기고

---

52) VP-대치에 의한 구성소 검증의 대표적인 것이 *do-so* test이다.

구성소와 구성소 검증　95

있다.[53]

NP와 VP 대용어 외에도 PP와 TP의 대용어도 존재한다.

(18) PP 대용어: *there*

    a. The cat sat <u>on the mat</u>.

      The cat sat <u>there</u>.

    b. Have you ever been <u>to Paris</u>?

      No, I have never been <u>there</u>

(19) TP 대용어: *it, this*

    a. <u>Mary has finished her assignment</u>.

      I don't believe <u>it</u>.

    b. <u>She got straight A's in all the subjects</u>.

      <u>This</u> is unbelievable.

연습문제 2.4(1) 대용어의 선행사 판별

아래 A 문장과 관련한 질문 B에 답하시오.

(i) A: The boy saw the man with the telescope.

  B: <u>Who</u> did the boy see?

    <u>Who</u> did the boy see with the telescope?

(ii) A: The cat sat on the mat.

  B: <u>Where</u> did the cat sit?

    <u>What</u> did the cat sit on?

---

[53] X'-구조의 수형도상에서도 조동사를 포함하는 구는 VP가 아닌 T'가 되므로 VP 대용어가 아니다.

연습문제 2.4(2) 대용어와 중의적 문장

아래 문장 A는 중의적이다. 그러나 대명사에 의해 대치된 B의 문장은 더 이상 중의적이지 않은데 각각의 문장에서 *they*가 지시하는 선행사를 쓰시오.

A: The students wondered how simple textbooks could be obtained. (ambiguous)
B: The students wondered how they could be obtained.

they → _____

The students wondered how simple they could be obtained.

they → _____

연습문제 2.4(3) 대용어와 중의적 문장

아래 문장 A는 중의적이다. 그러나 B의 문장들은 중의적이지 않은 이유를 설명하시오.

A: The boy saw the man with the telescope.
B: The boy saw *him* with the telescope.
    They saw *him*.

2.5 삭제(Deletion/Ellipsis)

증거 5 : 구성소 VP만이 생략이 가능하다.

(Only VP can be deleted, if they are identical to some other VP in the same discourse.)

(20) John won't <u>wash the dishes</u>.

I bet he will ___ if you're nice to him. (VP deletion)

(21) a. *John won't put the car in the garage, but Paul will put the car. (PP deletion)

b. *John won't put the car in the garage, but Paul will put.

(NP+PP deletion)

c. John won't put the car in the garage, but Paul will. (VP deletion)

(22) He may come home early, but then again, he may **not** ____.

(23) Mary wants to close the shop, but I don't want **to** ___.

(24) A: Could you have a look at the car?

B: OK, I will ___.

여기서 VP-생략(VP-deletion)과 비교되는 공백화(gapping) 구문을 살펴볼 필요가 있다. 조동사는 제자리에 두고 VP만 생략되는 VP-생략과 비교하여 비구성소인 동사 V만 생략되거나 아니면 동사 V가 조동사와 함께 생략되는 경우는 공백화(gapping) 구문이라고 부른다. 공백화의 경우는 구성소 VP-생략과 달리 동사만 생략되거나 조동사도 동사와 함께 전체가 생략되는 비구성소 생략이라는 점에서 두 구문의 차이를 보여준다. 그러나 공백화의 경우도 등위접속규칙을 어기는 것은 아니다. 두 번째 문장의 동사가 공백으로 처리된 두 개의 문장이 등위접속화된 구문(coordinated TPs with the second lacking a verb)이므로 구성소인 두 개의 동일한 범주 TP가 등위접속 되어 정문이다.

(25) a. [TP John played Baseball] and [TP Mary Ø Tennis].

b. The boy ate apples and John Ø roast beef.

c. John likes beer, Mary Ø wine, and Paul Ø vodka.

d. Dana will read War and Peace, and Ted Ø Ø Bible.

e. Some have been served shrimps and others Ø Ø Ø lobsters.

2.6 이동(Movement)

증거 6: 구성소만이 이동이 가능하다.

(Only constituent can be moved.)

(26) They put the car in the garage.

→ <u>What</u> did they put __ in the garage?

*What did they put the __ in the garage?

(27) My friend live [PP in [NP the white house]].

→ <u>Which house</u> does your friend live in __ ?

<u>In which house</u> does your friend live __ ?

(26)에서 구성소인 *the car*는 의문사 *what*으로 바뀌어 영어의 *wh*-의문문을 만들기 위해 이동이 가능하지만 *car*는 구성소가 아니므로 이동이 불가능하다. (27)에서는 전치사구 *in the white house*와 명사구 *the white house* 둘 다 구성소로 *in which house*와 *which house* 둘 다 의문사 이동이 가능하다.

이제 *with* 전치사 구문을 갖고 있는 (28)과 (29)를 비교해보자. 각 문장에서 동사의 자매어가 무엇인지 살펴보라. (28)은 복합명사구 NP를 목적어로 갖고 있는 타동사 구문이고, (29)는 직접목적어와 간접목적어 두 개의 NP를 갖고 있는 이중타동사 구문이다.

아래 문장과 수형도를 비교하라.

(28) a. She [VP lost [NP that book with the blue cover]].

   (What is a sister of V *lost* ?)

   b. Q: <u>What</u> did she lose __ ?

A: that book with the blue cover

c. Q: *<u>What</u> did she lose __ with the blue cover?

A: *that book

d. *She lost <u>what</u> with the blue cover?[54)]

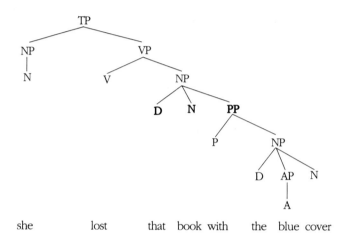

she   lost that book with the blue cover

(28)의 문장에서 3개의 구성소를 갖고 있는 복합명사구 NP에서 전치사구 PP 를 제외한 DET와 N인 *that book*은 전체 구성소 성분을 모두 포함하지 못하여 구 성소를 형성하지 못하므로 (28c)와 같은 *wh-*이동이나 (28d)와 같은 반향 의문문은 불가능하다.

(29) a. She [VP left [NP that book] [PP with her best friend]].

(What are the sisters of V *left.*)

b. Q: <u>What</u> did she leave __ ?

A: that book

*that book with her best friend

---

54) 영어 *wh-*의문문에서 의문사를 이동하지 않고 제자리에 둔 채로 반문(asking-back)하는 의문문을 반 향 의문문(Echo-Question)이라고 부른다.

c. Q: <u>What</u> did she leave __ with her best friend?

   A: that book

d. Q: She left <u>what</u> with her best friend?

   A: that book

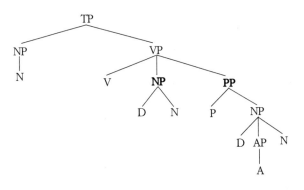

(29)의 문장에서 명사구 NP와 전치사구 PP는 각각 독립된 구성소를 이루고 있어 각각의 이동은 가능하나 NP와 PP를 결합하면 전체 구성소 성분을 모두 포함하지 못하여 구성소가 되지 못하므로 (29b)에서 *that book with her best friend*는 답이 될 수 없다.

이제 구성소 이동의 또 다른 증거로 분열구문(cleft sentence)의 예문을 살펴보자.

소위 *It-that* 강조구문이라 불리는 분열구문은 일반 평서문에서 도출되며 보통 두 부분으로 나뉘는데 분열구문은 전제되는 기본 정보 부분과 강조 부분(focus constituent)으로 나뉜다.

(30) a. It is *my brother* who got married, not me.

    b. It was *6 months ago* that he got his promotion.

It is _____ *that/who* _____.

           XP   YP

     강조 부분   기본정보 부분

    [XP + YP = Sentence]

이때 분열구문의 강조 부분에는 구성소만이 이동(clefting)할 수 있다. 강조부분에 나타나는 XP는 NP, PP, AP 그리고 ADVP와 같은 구성소가 가능하므로 동일한 평서문에서 강조하고자 하는 구성소에 따라서 여러 개의 다른 분열구문들이 도출될 수 있다. 아래 예문을 살펴보자.

(31) a. Ordinary cats detest the smell of citrus fruits.

     b. It is <u>ordinary cats</u> that detest the smell of citrus fruits. (NP)

     c. It is <u>the smell of citrus fruits</u> that ordinary cats detest. (NP)

     d. *It is <u>the smell of </u>that ordinary cats detest citrus fruits. (*NP + P)

(32) a. The cat strolled across the porch with a confident air.

      → It was <u>with a confident air</u> that the cat strolled across the porch. (PP)

     b. Ali Baba returned from his travels wiser than before.

      → It was <u>wiser than before</u> that Ali Baba returned from his travels. (AP)

     c. They arrived at the concert hall more quickly than they had expected.

      → It was <u>more quickly than they had expected</u> that they arrived at the concert hall. (ADVP)

연습문제 2.6(1) 분열구문의 문법성 판단

위의 (28)과 (29)의 문장에서 동사의 자매어가 무엇인가에 유의하여 아래 분열구문이 바르게 된 것을 고르시오.

(i) a. It is *that book* that she lost with blue cover.

b. It is *that book with blue cover* that she lost.

(ii) a. It is *that book* that she left with her best friend.

b. It is *that book with her best friend* that she left.

연습문제 2.6(2) **구동사 구문과 분열구문**

아래 문장들의 문법성과 비문법성의 이유를 설명하시오.

(i) a. Steve looked up Mary's nose.

b. It was *Mary's nose* that Steve looked up.

c. It was *up Mary's nose* that Steve looked.

(ii) a. Steve looked up Mary's number.

b. It was *Mary's number* that Steve looked up.

c. *It was *up Mary's number* that Steve looked.

연습문제 2.6(3) **명사절주어의 외치(extraposition)**

명사절주어(nominal subject)가 문장의 앞이 아니라 문장 뒤로 이동하는 구문을 외치이동 (extraposition move)이라고 하는데 이때 이동한 빈자리에는 비지시적인 허사 *it*가 들어 간다. 영어의 이동은 좌측이동이 일반적이다. 외치의 이동은 우측이동이 되는데 이러한 우측이동을 좌측이동의 분석으로 설명할 수 있는 대안을 생각해보시오.

a. [[That you believe that] is interesting].
b. [_ is interesting [that you believe that]].
c. [It] is interesting that you believe that.

2.7 조각문(Sentence Fragment)

증거 7: 구성소만이 질문에 대한 조각문으로 쓰일 수 있다.

(Only constituent can stand alone in response to a question.)

질문에 대한 답변으로 완전한 문장(complete sentence)이 아닌 단어나 구, 즉 조각문(sentence fragment)이 사용될 경우 조각문은 구성소일 경우만 가능하다. (33)에 관련한 질문의 답으로 구성소가 아닌 (34ii)(b)와 같은 답변은 구성소가 아니므로 비문법적이다.

(33) [NP John] [VP [V slept] [PP in [NP an expensive hotel]]].

(34) (i) Where did John sleep?

a. in an expensive hotel

b. an expensive hotel

(ii) What did John do?

a. Slept in an expensive hotel

b. *Slept in an

연습문제 2.7(1) 조각문

아래 문장에서 완전한 문장(TP → NP, VP)이 아닌 조각문을 고르시오.

a. John's huge house on Maple Street is a great place to hold a party.
b. John, the boy who lives in the huge house on Mary Street.
c. John's huge house on Maple Street, with the porch swing and the stone walkway to the sidewalk.
d. We visited John's huge house on Maple Street, with its beautiful gardens.
e. Because John's huge house on Maple Street is a great place to hold a party.

제5장

기저: 어휘와 범주
BASE: LEXICON AND CATEGORIES

1. 문법체계의 기저부문

Chomsky(1965)에서 주장된 통사부문은 범주부문(categorial component)과 어휘부(lexicon)를 포함하는 기저부문(base component)과 변형부문(transformational component)으로 나뉘는데 이를 기초로 이후 보편문법을 구현하는 Chomsky (1981)의 지배결속이론(Government and Binding: GB)은 어휘부, 통사부, PF, LF의 문법규칙체계를 제시한다. GB의 어휘부는 Chomsky(1995)의 *Minimalist Program* 이후 최소주의이론(Minimalist Theory)에서 어휘부는 배번집합(numeration)으로, 범주부문(categorial component)은 두 개의 통사범주가 결합하여 다른 하나의 범주를 만드는 병합(Merge)으로 바뀌었다.

이 장에서는 아래 문법규칙체계에서 어휘부와 범주부분에 관한 제약을 설명하고자 한다.

(1) 문법규칙체계(Subsystems of Rules)

    (i) 어휘부(lexicon)

    (ii) 통사부(syntax)

        (a) 범주부문(categorial component)

        (b) 변형부문(transformational component)

    (iii) 음성형태부문(PF-component)

    (iv) 논리형태부문(LF-component)

2. 언어 무한성: 범주와 회귀성

여기서는 어휘부를 다루기 전에 먼저 통사부의 한 부문인 범주부문의 특성인 회귀성(recursion)을 알아보자. 범주부문은 일련의 다시쓰기규칙인 구구조규칙으로 구성되는데, 구구조규칙은 문맥자유규칙(context · free rewriting rules)으로 한 범주기호 x를 문맥에 제한을 받지 않고 다른 범주기호 y로 바꾸는 규칙이다.

(2) a. $x \rightarrow y, \ z$

    b. $z \rightarrow w, \ x$

(2)와 같은 구구조규칙은 통사부문의 회귀적 특성을 표현할 수 있는데 이는 생성문법의 장점인 언어의 무한성과 창의성을 설명할 수 있는 방법이다. 회귀성은 구가 무한히 확장되는 것을 허용하는데 이러한 회귀성을 구구조규칙으로 설명이 가능하다. 구구조규칙의 회귀성이란 $x \rightarrow y, \ z$와 같은 규칙이 주어졌을 때, 또 다른 구구조규칙 $z \rightarrow w, \ x$가 첫 번째 규칙의 왼쪽 요소를 오른쪽에 포함하면 첫 번째 규칙이 회귀적으로 적용됨을 뜻한다. 예를 들면, 구구조규칙 (3a)에 (3b)와 (3c)를 반복적으로 적용이 이때 문장 TP는 무한히 반복된다. (3)에서 진한 글씨의 범

주들이 교차적으로 연결되어 무한반복이 가능한 언어의 회귀성을 만들어낸다.

(3) a. **TP** → NP, T, **VP**

   b. **VP** → V, (CP), (NP)

   c. CP → C **TP**

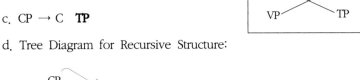

   d. Tree Diagram for Recursive Structure:

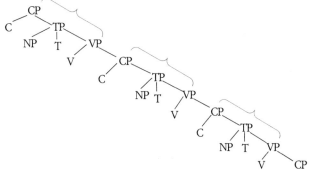

(3a, b, c) 구구조규칙들이 끼어 넣기(tucking in/embedding)의 과정을 통해 무한한 고리(an infinite/endless loop)를 만들면서 종속절을 무한하게 생성해내는 것이 가능하다. (3)의 구구조규칙을 적용한 무한 문장이 가능한데 아래 (4)의 예문을 살펴보자.

(4) a. I knew it.

   b. I said (that) I knew it.

   c. I remember (that) I said (that) I knew it.

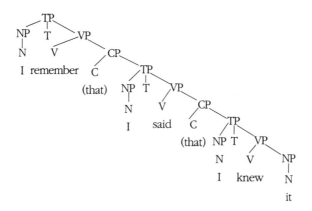

회귀성은 구조 안에 구조를 무한하게 끼어 넣을 수 있는(embedding: to embed structures iteratively inside one another) 방법이다. 이러한 언어의 회귀적 특성은 문장의 길이(length of sentences)나 문장의 수(the number of sentences)에 제한이 없는(unbounded) 언어의 무한성(infinity)을 설명한다. Chomsky는 Humboldt의 "한정된 수단의 무한한 사용(Infinite use of Finite means)"이라는 말을 자주 인용하였는데 이는 무한수의 문장이 한정된 문법규칙을 사용하여 생성된다는 것을 의미하는 것이다.[55]

(5) 질문: 문법은 어떻게 언어의 무한성 또는 회귀성을 설명하는가?

(How is language infinity or recursion achieved in grammar?)

답: 한정된 구구조규칙의 무한한 사용 (또는 무한병합의 가능성)[56]

(Infinite use of finite PS rules (or Infinite use of Merge))

---

[55] 언어가 무한한 문장으로 구성된다는 것은 새로운 이야기는 아니다. 거의 200년 전에 Wilhelm von Humboldt(1836)는 일반언어학 저서에서 언어의 무한성을 명쾌하게 기술하였다. 그의 견해는 언어는 "한정된 수단을 무한히 사용하며(makes infinite use of finite means)" 문법은 이러한 언어사용의 "창의적인" 관점("creative" aspect of language use)에서 언어의 무한성을 기술할 수 있어야 한다는 것이었다.

[56] 언어의 회귀성은 인간이 선천적으로 타고나는 생물학적 특성으로 언어능력의 핵심적인 부분이다.

문장뿐만 아니라 구의 경우에도 무한정한 구의 연결이 가능하다. 아래 예문 (6)에서처럼 NP의 무한내포구조(unbounded embedded structure)가 가능하다.

(6) a. [a friend] → [a friend [of mine]] → [a friend [of [a friend [of mine]]]]

   b. [a frog [on [a log [in [a hole [in [the bottom [of the sea]]]]]]]]

(7) PS-rules for recursion:

   a. **NP** → D, N, **PP**

   b. **PP** → P, **NP**

(8) Tree diagram

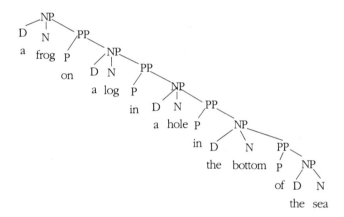

연습문제 2(1) 언어 무한성과 회귀성 규칙

아래 문장의 무한성을 설명할 수 있는 회귀적 구구조규칙을 쓰시오.

(i) a. I know the man.

   b. I know the man who owns the car.

   c. I know the man who owns the car that lost a wheel.

   d. I know the man who owns the car that lost a wheel which killed the dog.

(ii) a. Mary helped John.

    b. Katie knew that Mary helped John.

    c. Andrew believed that Katie knew that Mary helped John.

(iii) a. Which boy do you think read the paper?

    b. Which boy did you say you thought read the paper?

    c. Which boy did you believe you said you thought read the paper?

3. 하위범주화와 선택제약

어휘부(lexicon/dictionary/corpus)는 언어의 단어목록과 그 단어들이 속해 있는 통사범주의 특이한(idiosyncratic) 어휘적 특성을 포함한다.

(9) *bite* = V   *cat* = N   *chase* = V   *the* = D   *will* = M   etc.

어휘의 특이정보를 포함하는 어휘부는 구구조규칙과는 달리 문맥에 제한을 받는 문맥제한규칙(context-sensitive rule: x → y/___z)이다. 어휘부는 두 개의 문맥제한규칙을 갖는데 이는 통사적 제약인 하위범주화(subcategorization)와 의미적 제약인 선택제약(selectional restriction)이다.

(10) a. 하위범주화(제약)(Subcategorization)

      (→ 범주선택(category selection: C-selection))

    b. 선택제약(Selectional Restriction)

      (→ 의미선택(semantic selection: S-selection))

3.1 하위범주화/범주선택(Subcategorization/C-Selection)

동사의 어휘적 삽입은 통사적 환경에 제약을 받는다(lexical insertion of verbs

is sensitive to syntactic context). 동사의 어휘적 삽입은 동사가 나타나는 동사구의 유형에 따라 분류된다. 예를 들면, 타동사(transitive verb) imitate는 [+transitive]라는 통사자질(syntactic feature)을 부여받는데 이 자질은 동사구 안에 보충어(complement)로 1개의 목적어를 취해야 하고 *dither*와 같은 자동사(intransitive verb)는 [·transitive]라는 통사자질(syntactic feature)을 부여 받아 보충어를 취할 수 없다. 동사의 종류는 크게 자동사와 타동사로 나뉘고 타동사는 다시 목적어가 1개인 타동사와 목적어가 2개인 이중타동사로 분류된다. 동사가 필요로 하는 보충어의 수(0, 1, 2)에 따라 동사는 일반적으로 자동사, 타동사, 이중타동사의 세 가지 유형으로 분류된다.

(11) *dither*: intransitive verb (**0** complement in VP) 자동사[57]

　　 imitate: transitive verb (**1** complement in VP) 타동사

　　 give: ditransitive verb (**2** complements in VP) 이중타동사

아래 예문을 살펴보자.

(12) a. Margaret will imitate John.

　　 b.*Margaret will imitate.

　　 c. Hercules is dithering.

　　 d.*Hercules is dithering the crime.

　　 e. Wooster gave John the money.

　　 f. Wooster gave the money to John.

　　 g.*Wooster gave the money.

　　 h.*Wooster gave to John.

　　 i.*Wooster gave.

---

[57] be (*is, are, etc*), become, exist: 연계동사(linking/copular verb)

통사범주들은 각각 그 범주들이 나타나는 개별적인 통사적 문맥을 갖는데 이러한 문맥을 하위범주라고 부른다. 예를 들면, 동사의 '주' 범주('main' category)를 V라고 할 때 그 동사의 '하위'범주('sub'category)를 규명하는 분포적 틀을 동사의 하위 범주화 또는 범주선택이라 부른다. 하위범주화란 동사와 그 동사가 나타나는 동사구의 통사적 문맥의 이해이다. 따라서 문장을 이해하기 위해서는 개별 동사 의미의 단순암기가 아닌 동사의 하위범주화를 포함한 동사구 전체의 통사적 문맥의 이해가 요구된다.[58]

예를 들어 동사 *imitate*가 명사구 NP를 하위범주화(subcategorize) 또는 범주선택(Category-select: C-select)한다는 사실을 다음과 같이 나타낸다.

(13) 'imitate': V,   [_____ NP] (or V, ____ NP, or V, [__ NP#])
           ⇑   ⇑
      Main category   Subcategory

여기서 V는 *imitate*의 주 범주를 나타내고, [__ NP]는 *imitate*의 하위범주를 말하며, __는 동사가 나타나는 위치이고, NP는 서술어인 동사구가 문법적으로 완성되기(complete)위해서는 필수적인 보충어(complement) 한 개를 필요로 하는 타동사라는 것을 설명한다.[59] 자동사와 이중타동사의 경우는 아래와 같이 하위범주화할 수 있다.

(14) a. My mind dithers.

     'dither': V, [_____]

   b. John sent a book to Mary.

---

[58] 효율적 영어 학습을 위해서는 개별단어가 아닌 그 단어가 함께 나타나는 전체 구를 이해해야 한다. "*Learn phrases, not individual words*"

[59] 목적어 NP가 서술어 VP를 완성시키므로(complete a predicate VP) 보충어(complement)라고 부른다.

c. John sent Mary a book.

'send': V,[_ NP,PP] (여격구문: dative construction)

V,[_ NP,NP] (이중목적어구문: double object construction)

연습문제 3.1(1) 보충어(complement) vs 부가어(adjunct)

서술어인 동사구 VP가 문법적이기 위해서는 하위범주화되는(subcategorized) 보충어는 필수적(obligatory) 요소이고 수식어(modifier)인 부가어(adjunct)는 선택적이다. 아래 문장에서 곽 괄호부분이 보충어인지 부가어인지를 구별하시오.

a. John slept [in his room].
b. Sam destroyed [the letter] [angrily].
c. She gave [the book] [to Mary] [as a present] [for her birthday]
   [at the cafe] [near school] [yesterday].
d. Seven Democratic candidates took [the debate stage] [Friday night] [in New
   Hampshire] [for 2020 election].
e. Steve saw [a big bird] [in the garden] [on Thursday].
f. I know a girl [who is a very kind person].
g. [That BTS takes the stage for their Grammy moment] was fantastic.

이제 동사의 세 가지 유형인 자동사, 타동사, 이중타동사의 혼동하기 쉬운 예문을 통해 각 동사와 그 동사가 나타나는 동사구의 특성에 대해 좀 더 자세히 알아보자.

(15) 자동사(Intransitive)

Vi + **P** + Object (전치사의 목적어는 수동태(passivization) 불가능)

a. I complain about/of high price.

*I complain high price.

b. I account for the problem.

*I account the problem.

  c. I graduate from college.

    *I graduate college.

  d. I waited for the postman every day last week.

    *I waited the postman every day last week.[60]

    I will wait to hear from you.[61]

  e. I started from Seoul for London.

    *I started Seoul for London.

  f. I arrived at the station

    *I arrived the station,

  g. I look at the file.

    *I look the file.[62]

(16) 타동사(Transitive)

  Vt + Object (수동태(passivization) 가능)

  a. I attended the meeting.

    *I attended at the meeting.

  b. I entered the room.

    *I entered into the room.

  c. I reached the station.

    *I reached at the station.

---

[60] *wait* 동사가 뒤에 목적어가 오지 않고 '상태로 기다리다'의 뜻이 될 때는 전치사 *for*가 수의적이다.
  a. Put a tea bag into the cup, then add water and wait (for) a minute or two.
  b. We waited (for) hours to get the tickets.

[61] 자동사인 *wait* 동사 뒤에 *to*-부정사절이 올 수 있다.

[62] 한국어 학습자들이 이 동사의 경우 많은 오류를 보이는 것은 전치사의 유무에 관계없이 둘 다 한국어 '보다'로 해석되는 어휘적 EFL 오류이다.

d. Obey your parents.

   *Obey to your parents.

e. I can't answer your question.

   *I can't answer to your question.

   (I can't give an answer to your question.)

f. He greeted me with a smile.

   *He greeted to me with a smile.

g. He explained it.

   *He explained for it.

(17) 이중타동사의 종류(Kinds of Ditransitives)

   (i) [NP, NP] & [NP, PP]

   - *send, tell, show, offer, promise, lend, give*

   a. I send Mary a book.

      I send a book to Mary.

   b. I tell him a story.

      I tell a story to him.

      *I tell to him a story.

      I told her to go.

   c. I bought you a car.

      I bought a car for you.

   d. Ken threw me the ball.

      Ken threw the ball to me.

   e. I ask you a favor.[63]

      I ask a favor of you.

He asked me the way.

He asked the way of me.

I asked him for advice.

(ii) [NP, PP]

　- *explain, introduce, announce, confess, suggest, put*

a. I introduce you to my parents.

　*I introduce my parents you.

b. He explained the theory to me.

　*He explained me the theory.

c. He put the book in my box.

　*He put my box the book.

(iii) [NP, NP]

　- *spare*

a. I spared him the trouble.

　*I spared the trouble to you.

연습문제 3.1(2) 자동사 vs 타동사

'introduce' 동사의 하위범주화 [___ NP, PP]에 유의하여 아래 문장의 빈칸에 들어갈 단어를 쓰시오.

a. There is a man I'd like to introduce you ___.

---

63) Please, do me a favor

자동사 vs 타동사

아래 문장에서 틀린 곳이 있다면 고치시오.

e.g. *I discussed ~~about~~ that problem with Mary.

a. She resembles with her mother.
b. John married with Susan.
c. John is married with(to) Susan.
d. I appreciate for your help.
e. I appreciate what you've done for us.
f. I thank for your help.
g. I consider him to be smart.
h. I consider him that he is smart.
i. I persuaded him to go.
j. I persuaded him that he should go.
k. She convinced me that she was honest
   (=She convinced me of her honesty.)
l. She convinced that she was honest.
m. That explains for everything.
n. I want him to go.
o. I want to go.
p. I can't make it to class today.
q. I await for you.

연습문제 3.1(4) 〈say, tell, talk, speak〉

위의 4가지 동사는 서로 다른 통사적 문맥을 갖는다. 4가지 동사의 특징을 간단히 요약하면 아래와 같다.

(i) {tell me} vs {talk to me, speak to me, say to me}:
                    *tell to me, *talk me, *speak me

(ii) {talk} (bidirectional exchange ↔):

summit talks. Kakaotalk

We talked for hours about politics.

*He talks English.

(iii) {say, tell, speak} (1st person/one way speech act):

The director spoke to us about the plan.

Do you speak Korean?

*Do you talk Korean?

(iv) say + word: Say 'yes.' Don't say 'Good－bye.'

위의 〈say, tell, talk, speak〉 4가지 동사의 요약을 참고로 아래 예문의 빈 칸에 들어갈 알맞은 동사를 쓰시오.

a. Can you _____ me the time?

b. Stop _____ and listen.

c. _____ louder, he's a little deaf.

d. Can we _____ about this, please?

e. He wanted to _____ at the meeting.

f. I don't have anything more to _____.

g. Shh! Don't _____ anything.

h. _____ the truth.

i. _____ him not to open it.

j. I _____ Hello!

k. One's appearance ___ us a lot about the person.

l. I need to _____ to you.

연습문제 3.1(5) *talk* vs *speak*

talk 동사와 *speak* 동사의 차이점에 유의하여 아래 문장을 해석하시오.

a. They *speak* softly, but *talk* tough. (from *TIME* 2010)

하위범주화

아래 문장에서 각 동사들의 특성을 살펴보고 각 동사의 하위범주화 자질을 표시하시오.

a. Did you take it? (*Did you take?)
b. She looks/seems happy. (*She looks a girl)
c. She believes/thinks/imagines that John will come.[64]
   (She believes him. *She believes sad.)
d. Steve was devouring the carrot. (*Steve was devouring.)
e. Harold walked/*escorted (with a dog).
   Harold walked/escorted her dog.
f. John moved.
   John moved the table.

하위범주화

*walk*와 같은 동사는 자동사(walk$_1$, V, [__])와 타동사(walk$_2$, V, [__NP]) 두 가지 용법이 다 가능한 동사이나 자동사일 때의 의미 '걷다'와 타동사일 때의 의미 '산책시키다'가 다르다. 그렇다면 아래 *eat*나 *read*와 같은 동사는 목적어가 있을 때나 목적어가 없을 때 두 경우 모두 의미가 동일한데 이런 경우 어떻게 하위범주화를 할 수 있는지 설명하시오.

a. I am eating a candy bar.
   Did you eat? Yes, I am eating.
b. I am reading a book.
   Did you read?

하위범주화

아래 대화에 나타난 *miss* 동사의 하위범주화를 쓰시오.

---

[64] 이러한 동사들은 심리동사(psychological verb)로 주로 문장을 보충어로 선택한다.

Marceau: You'd never kill me, you'd miss₁ me.

        (James Bond shoots her dead and says)

Bond: I never miss₂.

miss₁, _____   miss₂, _____

연습문제 3.1(9) 하위범주화

아래 문장들의 문법성을 설명할 수 있도록 *trade*와 *buy*의 하위범주화 자질을 표시하시오.

(A) a. * I trade.

   b. * I trade a bicycle to Bill.

   c. * I trade to Bill.

   d. I trade a bicycle to Bill for a scooter.

   e. I trade a bicycle for a scooter.

   f. * I trade for scooter.

(B) a. Mary bought a book for Bill.

   b. Mary bought a book.

   c. *Mary bought for Bill.

   d. *Mary bought.

연습문제 3.1(10) 하위범주화

아래 문장의 하위범주화를 쓰시오.

a. Please, give him my best regards.

   Please, give my best regards to him.

b. The sun gives (us) light and heat.[65]

---

[65] 불특정 다수(unspecific majority)를 의미하는 일반주어/목적어라고 부르는 명사구는 생략이 가능하다. 왜냐하면 이러한 명사구는 회복이 가능하기(recoverable) 때문이다. 이러한 명사구를 함축주어/함축목적어(implicit or understood subject/object)라고 부른다.

She gave her life to save others.

c. Ivan gave me a book for Christmas.

Ivan is so boring; he always gives (me) books![66]

d. We sent the committee an angry letter.

We sent an angry letter to the committee.

e. I sent the package to Rome.

*I sent Rome the package. (Rome: 장소)[67]

f. The curator showed the party some rare paintings.

The curator showed some rare painting to the party.

g. She reminds me of my mother.

Please remind her to call me.

We remind him that he's on duty tonight.

h. Put a letter to the fire!

Let me put it in this way.

The lack of social support system put pressure on women.

i. I forced you to leave early.

*I forced you.

j. I wonder *if/whether* he will come. (indirect question)[68]

*I wonder *that* he will come.

*I wonder *if* he will come *surely*.

연습문제 3.1(11) [부정어] – [부정극어(NPI)]

동사가 아닌 다른 범주들도 하위범주화되는 필수적 요소를 요구한다. 타동사가 보충어가 없으면 비문이 되는 것처럼 *not, hardly, scarcely*와 같은 부정어(negative element)가

---

[66] 불특정 다수를 의미하는 회복가능한 명사구일 때 생략이 가능하듯이 여기서는 불특정 다수는 아니지만 문맥상(context/discourse) 선행문장으로부터 회복 가능한 함축명사구이기 때문이다.

[67] 이중목적어(⎽NP, NP]) 구문은 소유의 전이(transfer of possession)를 포함해야 한다. 예를 들면, *I sent Mary the package*에서 소포는 수혜자(benefactive)인 NP는 [+animate]자질을 갖는다.

[68] 주절과 종속절을 연결하는 연결자(connector)의 역할을 하는 보문소(complementizer)는 의문자질[±wh] 로 구분할 수 있는데 단언문(assertion)에 쓰이는 *that*[- wh]과 간접의문문에 쓰이는 *if/whether*[+wh] 둘로 나눌 수 있다. (보문소: *that*[- wh] vs *if/whether*[+wh])

없으면 비문이 되는 부정극어(Negative Polarity Item: NPI)라고 불리는 *any, ever, at all, a red cent* 등과 같은 단어가 있다. 부정극어와 함께 쓰이는 부정어는 부정극어를 성분통어(C-command)할 수 있는 구조적으로 상위 위치에 나타나므로 선형적으로는 주로 부정극어 앞에 나타난다.[69] 이를 구조적 형상으로 표현하면 아래와 같다. (i)의 구조적 요건을 어기거나 부정요소가 없는 부정극어는 비문이 된다. 아래 (ii)의 문장을 살펴보라.

(i)
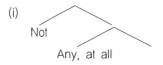

(ii) a. *He has found anything interesting.
   He hasn't found anything interesting.
   b. *Anybody can't get any books.
   Nobody can get any books.
   c. *Anybody will say nothing.
   Nobody will say anything.
   d. *I gave anyone nothing.
   I gave no one anything.
   I didn't give anyone anything.
   e. He hardly ate anything.
   Scarcely some of us had any experience in sailing.

위의 (i)의 부정극어 문장들의 문법성을 참고하여 아래 비문법적인 문장을 문법적인 문장으로 고치시오.

(ii) a. He was not able to make a profit at any time.
   *At any time he was not able to make a profit.
   →

---

[69] Constituent Command (C-command):
   A c-commands B iff (= if and only if)
   a. neither A nor B dominates the other, and
   b. the lowest branching node that dominates A also dominates B.

b. *Any of us didn't meet Jack.

→

c. *I thought that I would ever pass syntax.

→

d. I wouldn't listen to any of those speakers.

*To any of those speakers, I wouldn't listen.

→

연습문제 3.1(12) 하위범주화

아래 동사들의 하위범주화 자질을 표시하고 각 동사와 관련된 문장의 예를 드시오.

email, attend, accompany, convince, worry, age, dry, send, feel, promise, reply, contact, fall, persuade, wonder, suspect, locate, assign, laugh, move, develop, expire, wait, lie, lay, rise, raise, pretend, prefer, ensure, assure, discuss, marry, take out, pig out, pass out, turn in, take after, look at, blow out, wash out

3.2 선택제한/의미선택(Selectional Restriction/S-Selection)

어휘부는 문맥제한 규칙으로 통사적 자질인 하위범주화와 의미적 자질인 선택제한(Selectional Restrictions/S-Selection)을 갖는다. 어휘부의 문맥제한 규칙인 하위범주화 제한과 선택제한의 차이점을 알아보기 위해 아래의 문장을 살펴보자.

(18) a. John killed the rats.

b. *John killed _____.

c. !John killed the corpse.

(19) a. John annoyed the woman.

b. *John annoyed _____.

c. !John annoyed the book.

위의 (18b)과 (19b)의 문장들이 비문법적인 이유는 무엇인가? *kill*과 *annoy* 동사가 각각 보충어인 목적어 NP를 갖지 못해 통사적 요건인 하위범주화 제약을 어겼기 때문이다. 그렇다면 목적어 NP가 주어진 (18c)와 (19c)의 예문들이 여전히 적형의 문장이 아닌 이유는 무엇인가?

(18c)와 (19c)의 예문들은 통사적 자질인 하위범주화에 필요한 목적어 NP는 주어졌으나 여전히 의미적으로 적형의 문장이 아니다. 동사는 어휘적 자질로 통사적인 하위범주화자질 이외에 동사와 명사의 관계를 표현하는 의미적인 선택제한을 가짐을 알 수 있다. 즉 의미적으로 수용가능한 문장이 되기 위해서는 *kill*과 *annoy*의 목적어 NP는 생명이 있는 유생목적어(NP[+animate])라야 한다. 따라서 위에서 b의 문장들은 통사적인 하위범주화 조건을 어겼으며, c의 문장들은 의미적인 선택제한 조건을 어겼다는 것을 알 수 있다. 하위범주화를 위배한 문장은 비문법적이므로 *(별표) 표시를 하고 선택제한을 위배한 문장은 의미적으로 비문이므로 *와 구별되는 ! 또는 #표시를 한다. 하위범주화 조건은 문법성(grammaticality)과 관련이 있으며 선택제한은 수용가능성(acceptability)과 관련을 갖는다. 동사는 하위범주인 보충어 NP가 갖는 [±animate], [±abstract], [±human], [±male]과 같은 자질을 갖는데 이러한 자질들은 명사의 고유한 내재적이고(inherent) 특이한 (idiosyncratic) 특질들이므로 이러한 자질들도 하위범주화 특질과 마찬가지로 명사의 어휘항목에 명시되어야 한다는 것이 선택제한이다(예: *sincerity* [+abstract], *boy* [-abstract, +animate, +human, +male, -adult]).

위의 *kill*과 *annoy*의 의미적 자질인 선택제한은 다음과 같이 형식화 한다.

(20) annoy: [_____[+animate]]

      kill: [_____[+animate]]

(21) a. Sincerity frightened the boy.

    b. #The boy frightened sincerity.

c. $^?$She frightened the child!

d. The news frightened John.

e. John was frightened at the news.[70]

(22) a. The boy kicked the chair.

b. *Golf kicked the boy.

c. *The boy kicked the theory.

d. The member is very active/*$^\#$effective.

e. The membership is very effective/*$^\#$active.

위의 (21)과 (22)의 선택제한을 위배한 문장들은 목적어 NP의 선택자질뿐만 아니라 주어 NP의 선택자질도 제한하고 있음을 알 수 있다. 예를 들면 (21)의 *frighten*은 [+abstract]) 또는 [-human]자질을 갖는 명사구를 주어로 유생명사(NP[+animate])를 목적어로 취해야 한다. (21e)에서 주어가 추상명사가 아님에도 정문인 이유는 동사의 형태가 *be frightened at*의 수동태형태로 바뀌었기 때문이다. (21d)와 (21e)의 문장 주어인 *the member*[+animate]와 *the membership*[-animate]의 차이에 의해 각 문장 서술어의 형용사인 *active*와 *effective*가 결정된다.

이러한 선택제한을 하위범주화처럼 형식화 하면 다음과 같다.

(23) frighten: [[+abstract] _____ [+animate]]

      kick   [[+animate] _____ [-abstract]]

                ⇑   ⇑

             Subject   Object

---

[70] *scare*는 *frighten*과 다른 선택제한을 갖는다.

  (i) You scared me.

  (ii) I get scared easily.

      She is scared of going out alone.

(여기서 __는 동사가 나타나는 자리이고 __ 앞의 자리는 주어의 자리, 그리고 __ 뒤의 자리는 목적어의 자리를 나타낸다.)

연습문제 3.2(1) 선택제한

다음 문장의 비적형성을 선택제한으로 설명하시오.

a. #The idea discharged the man.
b. #The boy may frighten sincerity.
c. #Misery loves the girl.

연습문제 3.2(2) 하위범주화 vs 선택제한

아래 문장은 문법적인 문장이나 수용가능성은 없는 문장이다. 이 문장을 하위범주화와 선택제한의 관점에서 분석하고 문법성과 수용가능성의 문제와는 어떻게 관련이 되는지 설명하시오.

(i) Colorless green ideas sleep furiously. (Grammatical, Unacceptable)

연습문제 3.2(3) 하위범주화 vs 선택제한

다음 문장을 통사적 하위범주화와 의미적 선택제한의 관점에서 설명하시오.

a. *#I ate that he was coming.
b. *#John elapsed the man.
c. Three months has elapsed since he left home.

선택제한

곽 괄호안의 밑줄 친 단어와 해당 명사구의 수형도에 유의하여 아래 문장의 동사 'bother'
의 선택제한을 명사구의 핵의 관점에서 설명하시오.

a. The actors bothered [the play's <u>author</u>].
b. #The actors bothered [the author's <u>play</u>].

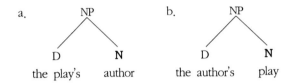

제6장

구구조 제약: X′−구조
PHRASE STRUCTURE CONSTRAINT: X−BAR STRUCTURE

1. X′−구조의 필요성과 요건

　Chomsky(1970)의 "Remarks on Nominalization"에서 명사화의 어휘 핵 이론을 위해 X′·구조/이론(X·bar structure/theory)이 처음으로 소개되었고, 이후 Jackendoff(1977)에서 집대성된 X′·구조는 그 필요성이 구구조의 과잉생성을 제한하고 범주들의 내부구조 유사성을 포착하려는데 있었다. X′·구조는 가능한 구구조를 만들기 위한 통사범주 형성에 관한 이론(a theory of syntactic category formation)으로 기저의 제약이 되었다. 앞서 다루었던 어휘와 범주제약인 하위범주화는 X′·구조로 대치가 가능한데 X′·구조의 X는 변수를 의미하며 이는 N, A, V, P, ADV, D, C, T, M 등, 여러 범주로 대치될 수 있다. 모든 범주의 구는 범주의 종류와는 상관없이 유사한 내부구조를 갖는다는 범주 교차적 일반화를 포착하기 위하여 여러 범주를 포괄할 수 있는 X라는 변수를 사용하는 것이다. 초기에 사용한 X̄ 표시는 이후 표기가 어려워짐에 따라 X′라 표기하고 X - 바(X - bar)라 읽게 되었다. 따라서 편의상 X̄, X′, X₁ 등의 기호를 사용한다.

X′ - 구조의 장점은 모든 범주가 범주의 종류에는 상관없이 유사한 내부구조를 갖는다는 일반화를 포착하도록 하는데 이를 '범주 교차적 일반화(cross-categorial generalization)'라고 한다. X′ - 이론의 또 다른 장점은 모든 범주의 구(phrase)는 어휘 핵(lexical head)의 투사(a phrase = projection of a head)라는 필수적인 핵(obligatory head) 개념의 확립을 들 수 있다. 핵 개념이란 범주 투사에 핵은 오직 한 개만(one and only one) 필요하며 최대투사와 핵은 본질적인 특질을 공유한다는 것을 함축하고 있다. 따라서 X′ - 이론을 핵 계층 이론이라고도 부른다. X′ - 구조의 요건(X′ - requirement)은 다음과 같다.

(1) X′ - 구조요건

    a. 범주 교차적 일반화: 모든 범주의 구조는 동일하다.

      (Configuration of various categories is identical.)

    b. 모든 범주는 어휘 핵의 투사이다.

      (Every category is a projection of a lexical head.)

위의 (1a)의 요건은 모든 범주의 구조를 변수 X를 사용하여 X′ - 구조로 일반화하였으며, (1b)는 '핵은 필수적이다(head is obligatory)'는 개념과 통하며 이는 전통적인 언어학 용어로는 구의 내심성(endocentricity)과 일치한다. 내심성의 개념은 핵이 없어서도 안 되고, 여러 개 있어서도 안 되며, "오직 한 개의 핵(one and only one head)"을 가져야 한다는 개념과 통한다. 따라서 X′ - 구조는 가능한 구절구조만을 생성하도록 하는 기저구조를 제약하는 조건이 된다.

어휘범주(lexical category)와 구 범주(phrasal category)가 본질적인 특질을 공유한다는 것을 함축하는 개념으로 구의 확장(phrasal expansion)을 투사(projection)라 표현한다. X′ - 구조의 확장에서 일반적으로 2계층 투사 (X″)를 최대투사(maximal projection)라 하고 편의적으로 XP라고 쓴다. 어휘 핵은 영 계층 투사(X^0)이며 중간투사(intermediate projection)는 자연적으로 1계층 투사가 된다. 최대투사와 중간투사는 구 범주이고 핵은 어휘범주가 된다. 이제 X′라고 표기되는 중간투사가 X′ · 구조의 핵심이며 중간투사 설정의 이유가 바로 X′ · 구조의 설정 동기이다. 중간투사 X′ · 구조는 필수적인 핵이나 최대투사와 달리 선택적인 투사로 무한 반복이 가능한 구조이다. 이제 중간투사를 포함한 X′ · 구조를 도식화하면 다음과 같다.

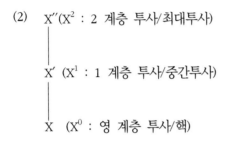

(2)   X″(X^2 : 2 계층 투사/최대투사)

X′ (X^1 : 1 계층 투사/중간투사)

X   (X^0 : 영 계층 투사/핵)

위의 X′ · 구조에서 X를 N, A, V, P와 같은 특정한 범주로 바꾸면 구범주인 NP, AP, VP, PP의 구조는 아래와 같이 동일한 구구조를 갖는다.

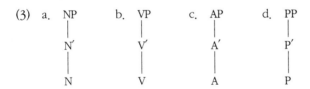

(3) a. NP   b. VP   c. AP   d. PP

N′   V′   A′   P′

N   V   A   P

(2)의 X′ · 구조가 (3)에서처럼 N, A, V, P 등의 구조로 확대될 수 있다는 점에서 X′ · 구조는 '범주 교차적 일반화'라는 바람직한 결과를 가져오고, 이런 점에서 X′ · 구조는 범주 개별적인 전통적 2계층 투사보다 우월하다고 할 수 있다.

    X′ · 구조의 필요성을 알아보기 위한 예로서 어휘 핵 N을 수식하는 수식어가 여러 개가 나타나는 NP의 구조를 살펴보자.

(4) a. the big book of syntax with the red cover from Cambridge by Radford

　　b. the big book of syntax from Cambridge with the red cover by Radford

　　c. the big book of syntax by Radford from Cambridge with the red cover

　　d. *the big book with the red cover of syntax from Cambridge by Radford

　　e.

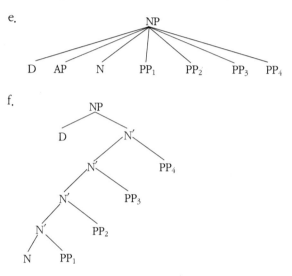

　　f.

언어는 계층적 구조(hierarchical structure)를 갖는다. 그러나 위의 (4e)의 구조는 어휘 핵 N을 오른쪽에서 수식하는 수식어인 전치사구 PP 4개가 모두 동일한 계층에 있는 수평구조(flat structure)를 만들고 있어 구성소 간의 계층적 관계를 파악하기가 다소 어렵다. 또한 (4d)처럼 PP1은 순서를 서로 바꾸어도 상관이 없는 다른 3개의 PP2, PP3, PP4와는 다른 특질을 갖고 있어 순서를 바꾸면 비문법적이 된다. 따라서 (4e)의 N이 NP로 바로 투사되는 [N-NP]의 2계층구조로는 이를 설명할 수 없고 복잡한 구에는 적절하지 않다는 것을 알 수 있다. 따라서 이러한 2계층구조에 반복이 가능한 중간계층을 첨가하여 (4f)와 같은 [N-N′-NP]의 3계층구조를 만들면 구성소들 사이의 수식관계를 좀 더 명확히(more articulated) 설명할 수 있어 중간투사가 필요한 X′ · 구조 설정의 동기가 된다.

연습문제 1(1) 등위접속과 부정대명사(indefinite pronoun) 'one' 대치

구성소(constituent)만이 등위접속(coordination)과 대치(replacement)가 가능하다. 아래 예문 a에서는 *very tall girl*이 등위접속이 되고 있고 예문 b에서는 *very tall girl*이 부정대명사 *one*에 의해 대치가 되고 있다. 그렇다면 *very tall girl*이 구성소라야 하는데 c의 왼쪽 구조인 2계층 투사에서는 [AP, N]은 구성소가 아니다. 그럼에도 불구하고 a와 b의 문장은 정문이다. 그렇다면, 2계층 투사의 대안으로 제시될 수 있는 c의 오른쪽 구조인 X′-구조의 장점을 설명하시오.

a. I like this *very tall girl* more than I like that [*very tall girl*].
b. I like this *very tall girl* more than I like that [*one*].
c.

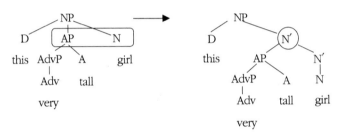

2. 핵, 보충어, 지정어

X′-구조는 모든 범주에 필수적인 핵의 개념과 더불어 상대적인 보충어 (complement), 지정어(specifier)의 개념과 핵 매개변인(head-parameter)의 개념도 확립하였다.

아래 (5)의 예문을 살펴보자.

(5) a. They claim that they did [VP not **destroy** the garden].

 b. She proposed [NP an **analysis** of the sentences].

 c. Jake is [AP so **fond** of coffee].

d. They are [PP quite **in** agreement].

e. My sister cycles [AdvP much **faster** than me].

예문 (5)는 각 범주들(VP, NP, AP, PP, ADVP, 등)의 내심성을 보여주는 것으로 각 구범주와 핵은 진한글씨로 표시되어 있다. 반드시 핵이 있어야 한다는 핵의 필수성은 차치하고라도 이러한 여러 범주들 사이에 추가적인 유사성을 찾아볼 수 있다. 각 범주의 핵 다음에 오는 요소는 핵과 강한 결속력이 있음을 알 수 있는데, 예를 들면 *destroy* 동사 뒤에는 파괴될 수 있는 대상을 나타내는 명사구가 온다는 것과 *analysis* 뒤에는 분석될 수 있는 대상인 전치사구가 보충어로 온다는 것을 알 수 있다. 동사 *destroy*는 명사구 *the garden*과 함께 동사구를 완성(complete)하므로 명사구 *garden*은 여기서 보충어(complement)의 역할을 한다. 위의 예문에서 각 범주들(VP, NP, AP, PP, AdvP 등)은 그들의 구를 완성시키는 (6)의 도식처럼 보충어들을 취하는데 보충어의 개념은 하위범주화에 의해서 일반화되는 중요한 개념이기도 하다.

(6)

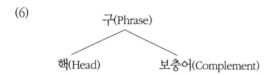

그렇다면 예문 (5)에서 핵의 바로 앞에 나타나는 *not, an, so, quite, much*와 같은 요소들은 무엇인가? 이들은 핵과 보충어 사이의 관계처럼 강력한 결속력을 보이지는 않는다. 이들은 핵을 수식하는 것이 아니라 핵과 보충어가 결합된 전체 구성소를 지정(specify)한다는 것을 알 수 있다. 예를 들면, (5a)의 *not*은 *destroy*만 지정하는 것이 아니라 핵과 보충어가 결합된 *destroy the garden* 전체를 지정한다. 핵 바로 앞에 오는 요소를 보충어와 구별하여 지정어(specifier: Spec)라고 부르는데 지정어는 핵 하나만을 수식하는 것이 아니므로 보충어와 동일한 계층에 나타날 수 없고 핵과 보충어 둘 다를 수식할 수 있는 계층에 나타나야만 한다. 따라서 보충어와 지정어가 동일한 계층에 나타나는 (7a)와 같은 선형구조(flat structure)는 적절한 구절구조가 아니며 지정어 *not*은 *destroy the garden* 전체를 수식할 수 있는 (7b)의 의문표지인 ?? 범주의 자매어로 나타나야만 한다. 이때 ?? 범주 표지는 바로 핵과 최대투사 중간에 오는 중간투사범주(intermediate projection)인데 좀 더 정교한 구구조를 표현하려는 목적이 중간투사범주인 X'-구조를 설정하게 만든 또 다른 이유이다.

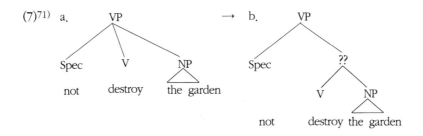

(7)[71] a. VP → b. VP

(7b)의 V(V⁰)와 VP(V²) 사이의 ?? 계층은 X'·구조에 따라 중간투사 V'로 칭할 수 있다. 이때, Spec이 수식하는 요소는 자매어인 V' 전체가 된다.

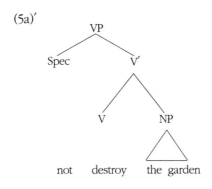

(5a)'

---

71) 내부구조를 상세히 그릴 필요가 없을 때는 이를 생략하고 옷걸이(cloth hanger: △) 표시를 한다.

위의 예문 (5)에서 우리는 다양한 구 범주들의 내부 구조가 유사하다는 것을 알았다. 그렇다면 다양한 구 범주들의 내부구조를 지정어와 보충어, 핵을 포함하는 X′·구조로 일반화하면 다음과 같다.

(8) X′·구조

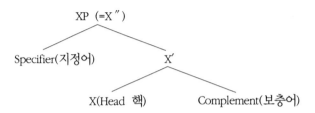

(8)의 X′·구조에 따라 예문 (5a)를 제외한 나머지 (5b-e)의 구조가 어떻게 유사한 내부구조를 갖는지 수형도로 비교해보자.

(5b)′

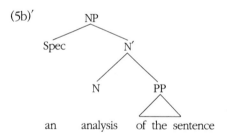

(5c)′

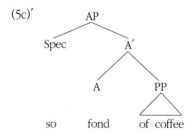

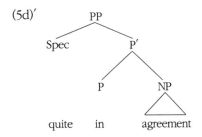

(5d)′

```
            PP
          /    \
      Spec      P′
              /    \
            P       NP
                   /△\
   quite    in    agreement
```

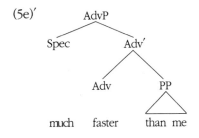

(5e)′

```
             AdvP
           /      \
       Spec        Adv′
                 /      \
              Adv        PP
                        /△\
    much    faster    than me
```

위의 구조들은 N, A, V, P, Adv의 투사가 각각 지정어, 핵, 보충어를 갖는 구조로 이들 범주 모두가 (8)의 X′-구조와 유사한 구조를 갖는다는 것을 보여준다. 따라서 우리는 이러한 X′-구조를 통하여 범주 교차적 일반성과 통일성을 포착할 수 있다.

아래 (9a)의 문장과 (9b)의 명사구는 의미적 유사성을 갖고 있다. X′-구조의 관점에서 이 두 구조를 보면 NP구조와 문장의 서술어 VP구조 사이의 유사성을 포착할 수 있다. 이 둘의 X′-구조를 비교하여 유사성을 찾아보자.

(9) a. [*The enemy* **destroyed** the city].

　　b. [*The enemy's* **destruction** of the city].

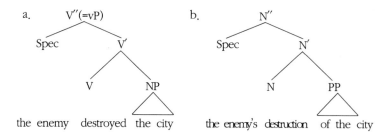

a. V″(=vP) b. N″

Spec V′ Spec N′

V NP N PP

the enemy destroyed the city the enemy's destruction of the city

진한 글씨의 *destroy*와 *destruction*의 관계는 각각의 구조 VP와 NP의 핵(V와 N)이라는 유사성으로 설명할 수 있다.[72] 최근의 많은 연구에서처럼 동사구내의 주어가 TP의 주어자리로 이동하는 동사구내 주어가설(VP - Internal Subject Hypothesis)을 가정하면 동사구(vP/VP)와 명사구를 비교하는 것이 가능하다.[73] *the enemy*와 *the enemy('s)*는 지정어로 *the city*와 *of the city*는 보충어로 비교되어 우리는 두 구조의 유사성을 X′ - 구조의 관점에서 쉽게 표현할 수 있다.

연습문제 1.2(1) X′- 구조와 핵

구구조제약인 X′ - 구조의 요건을 지키지 않은 PS - 규칙을 고르고 그 이유를 설명하시오.

a. *VP → V, V, NP
b. *PP → VP, NP
c. *VP → P, NP
d. *V, NP → VP

연습문제 1.2(2) X′- 범주와 범주 교차적 유사성

아래 각 범주들의 X′ - 구조를 그리고 범주 교차적 유사성을 설명하시오.

---

[72] VP(=vP)구조는 하나의 절(clause)개념으로 이해되며, 위의 NP 구조는 DP 구조로도 동일하게 설명할 수 있다. 이는 6장의 5절 기능범주와 확대 X′ - 구조를 참고하라.
[73] 주석 76 참조

a. a student of physics

b. right on the shelf

c. very kind of you

d. have read the book

e. quite independently of me

연습문제 1.2(3) **X′- 구조와 범주 교차적 유사성**

아래 곽 괄호 구의 X′-구조를 그리시오.

a. [the destruction of Carthage]

b. He is [so envious of his sister].

c. We are [citizens of the world].

d. She [travelled to Rome].

e. He walked [straight though the door].

연습문제 1.2(4) **X′- 구조: NP vs AP**

아래 두 문장에서 곽 괄호 표시된 NP와 AP의 유사성을 X′-구조의 지정어, 핵, 보충어의 관점에서 설명하시오.

a. John shows [NP more <u>indulgence</u> to Mary] than he should do.

b. John is [AP more <u>indulgent</u> to Mary] than he should do.

연습문제 1.2(5) **X′- 구조: TP vs NP**

아래 두 문장의 유사성을 X′-구조의 지정어, 핵, 보충어의 관점에서 설명하시오.

a. [TP The cat ate all the tuna].

b. [NP The cat's plate of tuna]

3. 보충어와 부가어

여기서 우리는 구 범주의 적절한 중간구조를 표현하기 위하여 X′ - 구조의 강력한 방어력이 되고 있는 중간투사가 과연 필요한가에 대한 질문의 답으로 X′ - 구조가 보충어와 부가어의 차이점을 좀 더 명확하게 설명할 수 있다는 장점을 들 수 있다. Travis(1984), Stuurman(1985), Farmer(1980)와 같은 학자들은 반복적 투사(iterative projection)를 선호하여 중간투사의 불필요성을 주장하였으나 부가어와 보충어를 구별하기 위해서는 중간투사가 특별히 유용하다고 할 수 있다.

부가어란 하위범주화와는 관계없는 중간투사에 부가되는 구조이다. 하위범주화되는 필수적인 요소가 보충어라면 부가어는 하위범주화와는 무관한 선택적이고 반복적인 요소이다. 따라서 부가어 구조를 삭제하더라도 지정어, 보충어, 핵을 갖는 X′ - 구조는 변함이 없다. 즉, 핵과 보충어 그리고 지정어 이외에 선택적으로 나타날 수 있는 요소가 부가어이다.

아래 예문을 살펴보자.

(10) a. Steve saw Mary in the garden on Thursday.

　　 b. *Steve saw in the garden on Thursday.

　　 c. Steve saw Mary in the garden.

　　 d. Steve saw Mary.

　　 e. Steve saw Mary deliberately in the garden on Thursday last week.

위의 예문에서 동사 *see*는 목적어 NP를 필요로 하는 타동사이므로 보충어 *Mary*는 하위범주화 되는 필수적 요소이지만 *in the garden*과 *on Thursday*는 하위범주화와는 무관한 부가어로, (10e)에서 보듯이 *deliberately, last week* 등 부가어는 무한반복이 가능한 선택적인 요소이다. 대표적인 부가어는 주로 문장에서 '어떻게,' '언제,' '어디서,' '왜'와 같은 부사류(adverbial)가 이에 속하며 동사, 형용사, 부사에 부가되므로 '부가어(add+join=adjunct)'라고 부른다.[74]

보충어와 부가어는 의미적, 통사적으로 여러 다른 특질들을 가지는데, X′·구조의 또 다른 장점은 보충어와 부가어를 구조적으로 구별할 수 있다는 것이다. 위의 예문에서 *in the garden*은 단순히 동사 *see*나 목적어인 *Mary*만을 수식하는 것이 아니라 동사구 *see Mary*의 행위가 어디서 일어났는지를 말해주는 요소이므로, 부가어 *in the garden*은 *see Mary* 동사구 전체를 자매어로 갖는 위치에 나타나야만 한다. 부가어는 동사구 V′의 자매어 위치에 나타나며, 여러 개의 부가어가 가능하므로 중간투사는 확장되지 않고 동일투사가 반복된다. 따라서 예문 (10a)는 (11a)가 아닌 (11b)와 같은 구조를 갖는다.

(11) a.

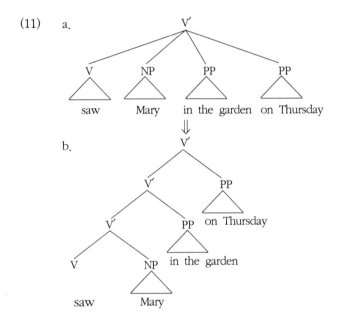

74) 부가어를 X′·구조에서는 중간구조 X′에 부가(a)되는 것으로 보지만 학자에 따라 최대투사범주인 XP에 부가(b)되는 것으로 보기도 한다.

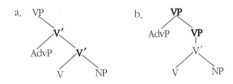

(8)의 X′-구조에 부가어를 포함하는 부가구조는 다음과 같다.

(12) 부가구조(Adjunct Structure)

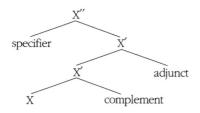

보충어는 어휘범주인 핵의 자매이고 부가어는 구범주인 X′의 자매이다. 부가어는 투사가 확장되지 않고 중간투사를 반복하므로 자매(sister)범주와 모(mother)범주가 차이가 없이 나타나는 동일한 중간투사 X′이다. 그러므로 부가구조는 중간투사가 반복되는 회귀성(recursiveness)을 구조적으로 표현할 수 있다.

(12)와 같은 부가어를 포함하는 X′ㆍ구조는 결과적으로 보충어와 부가어의 의미적, 통사적 특질의 차이를 설명할 수 있다는 장점을 갖는다. 부가어와 보충어를 포함하는 예문 (13)의 문법성을 설명해보자.

(13) a. A student [of physics] [with long hair]
    b. *A student [with long hair] [of physics]

(13)의 예문에서 [of physics]와 [with long hair]는 둘 다 전치사구 PP이지만 하나는 핵인 *student*에 의해 하위범주화되는 보충어이고 다른 하나는 하위범주화와는 무관한 부가어이다. 명사구와 동사구의 유사성을 염두에 두고 명사 *student*를 동사 *study*로 바꾸면 *study physics*에 해당하는 [of physics]는 필수적 보충어이고 **study long hair*는 보충어적 해석이 불가하므로 [with long hair]는 부가어이다. 이외에도 [of physics]는 보충어이고 [with long hair]는 부가어라는 다른 통사적 증거는 부가어의 회귀성, 등위구조(coordination), 부가어 외치(extraposition of adjunct)

구문에서의 부가어는 보충어와 다른 차이점에서 찾아볼 수 있다.[75]

(14) 보충어: 비회귀적 vs 부가어: 회귀적

    a. the student [with long hair] [with short arms]

    b. *the student [of Physics] [of Chemistry]

(15) 등위접속: 보충어+보충어; 부가어+부가어; *보충어+부가어

    a. a student [of Physics] and [of Chemistry]

    b. a student [with long hair] and [with short arms]

    c. *a student [of Physics] and [with long hair]

(16) 외치(extraposition): 부가어 가능 vs 보충어 불가능

    a. a student came to see me yesterday [with long hair].

    b.*a student came to see me yesterday [of Physics].

위의 예문 (14a, b)의 X′·구조를 그리면 아래와 같다.

(17) a.

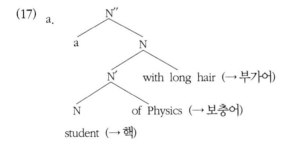

----

[75] 의미적 차이:

    a. John is a student of Physics (denoting one property).

    b. John is a student with a long hair (denoting two properties).

b. *

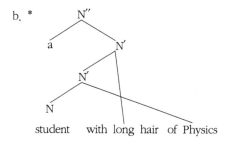

보충어가 수평적 순서로 핵 옆에 나타나고 부가어가 나중에 나타나는 (17a)와 같은 구조는 문법적이지만 보충어와 부가어의 순서가 뒤바뀐 (17b)와 같은 구조는 비문법적이다. (17b)와 같은 구가 비문법적인 이유는 두 가지로 설명할 수 있는데, 첫째는 핵과 보충어의 밀접한 결속관계(closer bond)인 '핵 · 보충어 인접조건(Head · Complement Adjacency Condition)'으로 설명할 수 있고, 둘째는 (12)의 부가구조를 가정할 때, (17b)는 구구조의 수형도의 가지가 교차하기 때문이다. 구구조의 기본 규칙으로 가지가 서로 교차하지 않을 것을 요구하는 '가지 비교차조건(No Crossing of Branches Constraint: NCBC)'에 근거하여 (17b)가 왜 비문법적인지를 설명할 수 있다.

명사어 선행 수식어(nominal premodifiers)에서도 보충어와 부가어 구조는 후행 수식어와 같은 현상이 나타난다. 속성어적 형용사(attributive adjective)는 부가어와 같은 역할을 하는데, 보충어적 역할을 하는 수식어와 자리가 바뀌면 위에서처럼 "가지 비교차조건"을 위배하게 되어 비문법적이 된다.

(18) a. a Cambridge Physics student

    b. *a Physics Cambridge student

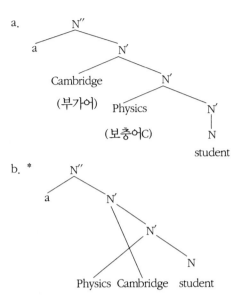

a.

```
        N″
      /    \
     a      N′
           /  \
     Cambridge  N′
     (부가어)  /    \
         Physics   N′
         (보충어C)   |
                   N
                   |
                  student
```

b. *

```
        N″
      /    \
     a      N′
           /|
          N′
         / \
     Physics Cambridge  student
                   N
```

연습문제 3(1) 보충어 PP vs 부가어 PP

아래 구에서 보충어 PP와 부가어 PP를 구별하시오.

a. [NP an analysis of the sentence with tree diagrams]
b. [AP so fond of coffee after dinner]
c. [VP travelled the world from Madrid to Rome in two weeks]
d. [PP quite in agreement about this]
e. [AdvP much faster than me by far]

연습문제 3(2) 보충어 PP vs 부가어 PP

보충어와 부가어의 구조적 차이를 염두에 두고 아래 문장의 문법성을 설명하시오.

(i) a. Ted will *wash his socks in the bathroom* and Ben will *do so*, too.
   b. Ted will *wash his socks* in the bathroom and Ben will *do so* in the kitchen.
(ii) a. Ted will *put his socks in the bathroom* and Ben will *do so*, too.
   b. *Ted will *put his socks* in the bathroom and Ben will *do so* in the kitchen.

핵-보충어 인접조건/가지 비교차조건

다음 구의 비문법성의 이유를 설명하시오.

a. *[NP an analysis with tree diagrams of the sentence]
b. *[AP so fond after dinner of coffee]
c. *[PP quite about this in agreement]
d. *[AdvP much faster by far than me]

핵-보충어 인접조건/가지 비교차조건

다음 구 또는 문장의 문법성을 설명하시오.

a. *A student of Physics and with long hair is in the room.
b. *A specialist from Korea in computer is smart.
c. Several Physics and Chemistry students.
d. Several Oxford and Cambridge students
e. *Several Physics and Cambridge students

핵-보충어 인접조건/가지 비교차조건

부가어적인 특성을 갖는 관계절(relative clause)과 보충어적인 특성을 갖는 동격절(appositive complement clause)의 X′-구조를 그리고 다음 문장의 비문법성을 설명하시오.

a. The claim [that Sam was the culprit] [which John made].
b.*The claim [which John made] [that Sam was the culprit].

4. 중의성과 X′-구조

부가어와 보충어의 구조적 차이를 구별함으로써 우리는 아래 예문들의 중의성을 구조적으로 설명할 수 있다.

(19) an English teacher

    a. a person who teaches English

    b. a person who comes from England

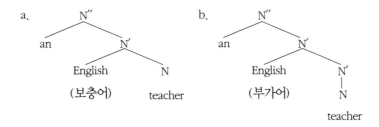

(20) He couldn't explain last night.

    a. He couldn't explain last night. (*last night*이 *explain*의 목적어)

    b. He couldn't explain last night. (*last night*이 동사구의 부사구)

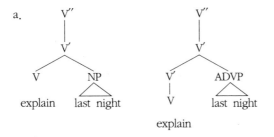

연습문제 1.4(1)   보충어 vs 부가어

아래 a 문장의 중의성을 설명하고 각각의 의미에 해당하는 X′–구조를 그리시오. 또한 b와 c의 문장에서는 중의성이 사라지는데 그 이유를 설명하시오.

(i) a. They finally decided on the boat.

b. What did they finally decided on?

c. On the boat, they finally decided.

(ii) a. John decided that he would move after Easter.

b. When did John decide that he would move?

c. John decided when he would move.

5. 기능범주와 확대 X′-구조

초기 생성문법에서의 S와 S′는 X′·구조에 어떻게 적용되는가? 'S와 S′의 핵은 무엇인가'라는 질문에 대한 답변으로 Chomsky(1986)는 그의 『장벽이론』(*Barriers*)에서 X′-구조를 비어휘범주인 S와 S′로도 확대하여 굴절(Inflection: INFL: I)을 S의 핵으로 보문소(Complementizer: COMP: C)를 S′의 핵으로 간주하였다. 관례적으로 S와 S′로 표시되는 절 범주(clausal category)는 확대 X′-구조에서는 각각 I의 투사인 IP(= I″)와 C의 투사인 CP(= C″)가 되었다. IP는 다시 최근에 와서 시제(Tense) T를 어휘 핵으로 갖는 TP로 표시하는 것이 일반적이 되었다. 확대 X′·구조에서 문장의 핵은 T인데, T는 시제와 일치(Agr)자질인 인칭(person), 수(number), 성(gender)의 특질을 갖는다. 최근에는 이러한 비어휘범주를 기능범주(functional category)라고 부르는데 TP, CP 그리고 명사구인 DP가 이에 속한다.

(20)

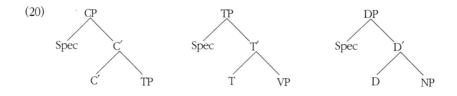

TP, CP와 DP의 절 범주까지 확대된 X′·구조는 모든 비종단절점(nonterminal nodes)은 원칙적으로 이분지(binary branching) 구조를 갖는다는 이분지 원리

(Binarity Principle)를 따른다. 기능범주 핵인 C, T, D의 보충어를 살펴보면 보문소(Complementizer)인 C의 보충어는 TP이고 시제인 T의 보충어는 VP가 되며 한정사인 D의 보충어는 NP이다. CP와 TP에 X′-구조가 적용되는 확대 X′-구조의 한 예를 들면 다음과 같다.[76]

(21) a. What did you buy?   -   I bought [Mary's book].

    [CP what [C did [TP you [T did [VP buy what]]]]]

b.

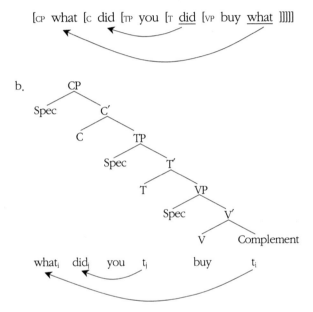

wh-의문문을 만드는 (21)의 구조에서 의문명사구 what은 다음과 같은 방법으로 wh-이동을 한다. CP의 지정어(Spec·CP)자리로 what은 이동하여 핵 C가 가지고 있는 자질인 C[+wh, +Q]자질을 점검하고 동시에 T 자리의 조동사 did는 C의 자리로 이동하여 핵 이동인 T-to-C이동(SAI에 해당)을 하여 wh-의문문을 만든다.

---

[76] 최근에는 동사구내부주어 가설(VP-Internal Subject Hypothesis)에 따라 VP 외곽구조로 vP(small vP)라고 부르는 경동사구를 TP 아래 설정한다. 이때 주어는 vP의 지정어 자리에 나타나며 이동에 의해 TP의 지정어자리(Spec-TP)로 가시적으로 이동한다. 또한 V도 v의 자리로 가시적 이동을 한다. 경동사구 vP가 설정되는 구문에서는 영어구조는 [CP-TP-vP-VP]가 된다.

추가적으로 이 질문의 답변에 나오는 명사구인 [DP *Mary's book*]을 일반적인
방법의 DP 구조로 그리면 다음과 같다. D가 DP의 핵이므로 이 자리에는 한정사
the/a, this/that, my/his/'s 등이 온다.

(22)

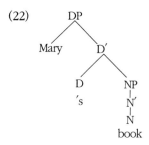

연습문제 1.5(1) D of DP

아래 문장이 왜 비문인지를 설명하시오.

(i) a. *I met teacher of English.[77]
   b. *Teacher of English arrived late today.
   c. *a this teacher of English

연습문제 1.5(2)

위와 같은 DP 구조를 가정할 때 *Mary's book*과 *all the books*의 *Mary*와 *all*은 구조적으
로 어떠한 차이가 있는지 논의하고 *all the books*에 해당하는 DP 구조를 그려보시오.

---

[77] 예문 출처: Haegeman (2006:109-110)

제7장

통사구문과 이동
SYNTACTIC CONSTRUCTION AND MOVE

1. 통사규칙: 병합과 이동

Chomsky(1995)의 *Minimalist Program* 이후 지금까지의 최소주의이론(Minimalist Theory)에서는 어휘부는 배번집합(numeration)으로, 범주부문(categorial component)은 두 개의 통사범주가 결합하여 다른 하나의 범주를 만드는 병합(Merge)으로 그리고 변형부문은 이동(Move)으로 바뀌었다.[78] 통사적, 의미적, 그리고 음운적인 자질들이 어휘자질들과 결합한 후, 두 개의 기본적 운용인 병합과 이동에 의해 구와 문장이 형성되고 문자화(Spell-Out)된다. 배번집합에서 문자화까지의 병합과 이동의 운용을 협의의 통사론이라 하고 음운형태(PF)와 논리형태(LF)를 모두 포함

---

[78] Merge (Chomsky 1995:226): Given any two structures α and β in Σ, project a new node γ which dominates both:

하는 운용을 광의의 통사론(문법)이라 한다. 이러한 도출과정을 보여주는 초기의
T‧모델을 발전시킨 GB‧이론과 최소주의이론의 (역) Y‧모델((inverted)
Y‧model)을 비교하면 다음과 같다.[79]

(1) a. GB의 표현계층(Levels of Representation in GB)

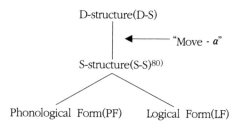

b. 최소주의 도출모델

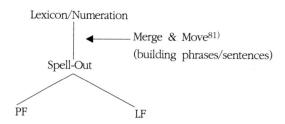

---

[79] (역) Y-모델도 T-모델의 이형이며 λ-모델이라고도 부른다.

[80] GB 이론의 S‧구조(S‧S)를 Chomsky (1965)의 표층구조(Surface Structure: SS)와 혼동하지 말아야 한
다. 전자는 Move‧α에 의해서 D‧구조로부터 생성된 구조로 실제 음성형태(PF)와는 무관한 반면,
후자는 음성형태를 지칭하는 것이다.

[81] 최소화의 첫 번째 대상은 표현층위이다. 지배결속이론은 4개의 표현층위를 가정하는 반면 최소이론
은 2개의 층위만을 가정한다. 즉 소리의 추상적 표현인 음성형태(PF)와 의미의 추상적 표현인 논리
형태(LF)이다. 지배결속이론의 D‧S와 S‧S를 가정하지 않고 어휘부에서 필요에 의해 선별된 자료인
배번집합의 단어들을 병합의 과정을 통해 구와 문장을 만들고 변형이 필요할 경우 이동이라는 운용
을 한다. 이때 전자의 병합을 외부병합(external merge)이라고 하고 이동을 내부병합(internal merge)
으로 일컬어 통사부운용을 병합으로 통합하기도 하지만 핵심 통사부를 병합과 이동으로 이원화하는
것이 좀 더 일반적이다.

1.1 변형과 이동

통사부를 구성하는 두 부문은 범주부문과 변형부문인데 범주부문은 앞서 논의하였고 여기서는 변형부문을 다루고자 한다. 병합과 이동으로 이루어지는 최소주의 모델을 이해하기 전에 먼저 초기의 변형규칙이 생기게 된 동기와 배경을 먼저 알아보는 것이 통사구문을 이해하는데 필요하다.

왜 구조에 변형이 필요한가? 구구조규칙(PS - rule)은 자매간의 수평적 관계를 설명하며 변형규칙은 구구조규칙으로는 설명할 수 없는 범주간의 수직적 관계를 표현한다. 이제 변형규칙의 필요성에 대한 근본 동기를 살펴보자.

(2) a. *I can solve ____. ('solve': V, [____NP])

    b. I can solve this problem.

    c. This problem, I can solve ____.

      (int. As for this problem, I can solve it.)

    d. *This problem, I can solve this problem.

위의 (2)의 예문에서 (2a)와 (2c)간에는 어떤 관계가 존재하는가? 동사 *solve* 뒤에 목적어가 없는 (2a)의 문장은 비문법적이지만 동일하게 목적어가 없는 (2c)의 문장은 문법적이다. 왜 그럴까? *solve*의 하위범주화는 동사구 VP가 NP를 가질 것을 요구하므로 (2a)는 비문법적이다. 그러나 (2c)는 동사 뒤에 NP가 없음에도 정문이 되는 이유는 동사의 목적어 *this problem*이 화제화(topicalization)라는 변형을 통해 문장 앞으로 이동했기 때문에 하위범주화를 위배하지 않는다. 문장 간의 수직적 이동은 구구조규칙으로는 설명이 불가하므로 변형규칙으로 설명한다.

(3) I can solve this problem. ─Ⓣ▶ This problem, I can solve ___.

    A(변형 전: 심층구조)   B(변형 후: 표층구조)

(3)에서 명사구 *this problem*를 문장 앞으로 이동하는 규칙을 변형이라고 부르는

데 변형규칙①의 방법에는 이동(Move), 삭제(Deletion), 삽입(Insertion), 대치 (Substitution), 부가(Adjunction), 도치(Inversion) 등의 여러 방법이 있다.[82]

변형규칙은 "새로운 통사구조를 생성하기 위해 하나의 통사구조에 적용되는 규칙(a rule that applies to a syntactic tree to yield a new syntactic tree)"이라고 정의할 수 있다. 예를 들면, 위의 (2)에서 변형 전의 A구조에 변형규칙을 적용하면 변형 후 구조인 A와는 다른 B구조가 만들어진다.

변형규칙을 형식화하는 방법으로 초기에는(Chomsky 1957) 변형 전 A의 구조를 '구조기술(SD: Structural Description)'로 변형규칙이 적용된 후 나타나는 변형후 B의 구조를 '구조변화(SC: Structural Change)'로 정의하였다. 이후 구조기술과 구조변화는 표준이론(Chomsky, 1965))에서 각각 심층구조(Deep Structure: DS)와 표층구조(Surface Structure: SS)의 개념으로 대치되었다. 이는 지배와 결속이론 (Chomsky 1981)에 와서 D - S(D - Structure)와 S - S(S - Structure)로 바뀌었다.

위의 화제화 변형을 이동 전 구조와 이동 후 구조로 형식화하면 아래와 같다.

(4) 화제화 변형(Topicalization)

I can solve this problem. → This problem, I can solve ___.

SD(DS): NP   AUX   Verb   NP[83]

         X1   X2   X3   X4 →

SC(SS): X4   X1   X2   X3

---

[82] Chomsky(1957)에서 아래 a와 같은 문장을 핵문(Kernel Sentence)으로 간주했는데 a를 기본 문으로 했을 때 b, c, d, e의 문장들은 각각 (주어 *you*) 삭제, (부정어 *not*) 첨가, (*you*와 *will*) 도치 (Subject-Aux Inversion: SAI), (*what*) 이동 등의 변형을 거친 것이다.

a. You will light the fire.

b. Light the fire.

c. You will not light the fire.

d. Will you light the fire?

e. What will you light?

[83] X1, X2는 변수(variable)를 나타내며 이는 간단히 1, 2, 3, 4와 같은 아라비아 숫자로 표시하기도 한다.

변형과 하위범주화(= 범주선택(C-selection))

다음 예문에서 비문법적인 문장과 문법적인 문장의 문법성 판단 이유를 변형과 하위범주화의 관점에서 설명하시오.

a. John thinks that Bill saw Mary.
b. *John thinks that Bill saw ____.
c. Who does John think that Bill saw ____?
d. *Who does John think that Bill saw Mary?
e. Whose keys are these?
f. *Whose keys are these Mary's keys?

1.2 이동의 필요성

Chomsky(1995) 이후 최근의 최소이론에서는 외부병합(External Merge)과 함께 이동(Move)도 내부병합(Internal Merge)으로 설명되며 심층구조와 표층구조라는 다층적 개념이 제거되었다. 그러나 병합과 이동이든 외부병합과 내부병합이든 두 가지 다른 운용을 설정하는 생성문법의 기본개념을 이해하기 위해서는 초기 변형생성문법의 개념을 알아야한다. 따라서 구조문법의 일원론적 표층구조분석과는 달리 생성문법에서 제안되는 다층적 표현계층의 출발인 심층구조와 표층구조 설정 동기와 변형 또는 이동의 필요성을 살펴보는 것이 계층적 통사구조를 이해하는데 필요하다.

언어에서 변형이 존재한다는 개념은 다층적 구조가 존재한다는 개념과 같은 것으로 아무런 변형규칙이 적용되기 이전의 구조를 심층구조(Deep Structure: DS)라 한다. 심층구조는 언어수행을 기술하는 것이 아니라 언어능력을 추상적으로 체계화한 것으로 기저부문에 의해서 생성된다. 따라서 이는 기저구조(underlying/ initial structure) 또는 의미역 구조로 어휘제약인 하위범주화와 선택제한이 적용되며, 문장의 주어(subject), 목적어(object)와 같은 문법관계/기능(grammatical relations/

functions)과 행위자(agent), 대상(theme)과 같은 의미역 관계도 정의된다.

표층구조(Surface Structure: SS)는 변형규칙이 적용되어 생성된 구조로 음성표현을 부여받아 의사소통을 위한 발음구조이다. 즉, 생성문법에서는 심층구조로부터 문장의 의미가 파악되고 소리로 표현되는 단계에서 표층구조의 형태를 취한다는 것이다. 예를 들면, 아래 (6a) 문장의 DS에서 하위범주화가 적용되고 여기에 *wh*·의문문을 만들기 위한 *wh*·이동(*Wh*·Move)과 주어·조동사도치(SAI = T-to-C 이동)가 적용되면 표층구조에서 음성형태가 일어난다.

(5) a. DS: You can buy <u>what.</u> ('buy' V, [____NP])

     ↓   ⓣ: *Wh*·Move & SAI

     b. SS: <u>What</u> can you buy?

다층구조(multi·levels) 또는 다층표현(multi·representations)의 장점으로는 표층구조 내부에 있는 심층구조를 문법기술에 도입하여 문장의 계층적 구조와 수직적 문법관계(grammatical relation)를 보다 설명력 있게 기술하는 것을 가능하게 만든다는 것이다.

2. 구조 의존성과 SAI

교차 언어적(cross·linguistically)으로 계층적 문장구조에 적용되는 통사규칙은 구조 의존적이다. 따라서 통사규칙의 구조 의존성(structure·dependency)은 언어의 보편성(universality)이라고 할 수 있다. 구조 의존성은 보편문법이므로 유아들은 이를 학습(learning)할 필요가 없고, 생득적으로 타고나는 언어능력이다.

(6) a. The girl is tall.

　　b. Is the girl tall?

　　c. The boy who **was** holding the plate **is** crying.

　　d. Is the boy who was holding the plate ＿ crying?

　　e. *Was the boy who ＿ holding the plate is crying?

위의 예문 (6)에서 영어의 진위 의문문(*yes · no* question)을 만들기 위해서는 주어와 조동사의 위치를 바꾸는 주어 · 조동사도치(Subject · Aux Inversion: SAI)를 적용해야 한다.[84] 그렇다면 조동사가 두 개 나타나는 복합문인 (6c)에서 *was*와 *is* 중 어떤 것을 이동해야 하는가? 구조 비의존적인 선형상의 규칙(word · by · word rule)으로 첫 번째로 나타나는 *was* 조동사와 주어를 도치시키는 것이 아니라 구조 의존적인 주어의 조동사인 *is*를 도치시켜야 한다. 따라서 구조 의존적인 (6d)의 예문은 정문이며 구조 비의존적인 (6e)의 예문은 비문법적이다.

연습문제 2(1) 　구조 의존성과 SAI

위의 (6)의 예문을 고려하여 영어의 진위 의문문 형성규칙으로 맞는 것을 고르시오.

(i) To form a question from a declarative sentence containing an auxiliary element, *identify the subject, and invert the auxiliary with it.*

(ii) To form a question from a declarative sentence containing an auxiliary element, *identify the first auxiliary element, and move it to the beginning of the sentence.*

---

[84] 주어-조동사도치(SAI)는 최근 이론에서는 도치가 아닌 T자리의 조동사가 C의 자리로 이동한(T-to-C Movement)인 핵 이동규칙(Head Movement)으로 분석한다.

주어 – 조동사도치(SAI)

아래 학생의 의문문과 모국어로서의 영어를 습득하는 (26개월~36개월) 아동의 의문문을
살펴보고 학생과 아동은 어떠한 통사규칙을 적용하고 있지 않은지 설명하시오.

Student: *I should go to the student office now?*

It would'nt be far away? (It would not be far away?)[85]

Child: *What those are?*

What she is doing?

do–삽입(*do*–insertion) & SAI

위의 연습문제 2(1)에서 조동사를 포함한 평서문을 의문문을 만들 때 SAI를 적용하는 (i)
이 맞는 규칙이다. 만약 조동사가 없는(without containing an auxiliary element) 일반
동사의 평서문을 Yes/No–의문문으로 만든다면 SAI를 적용하기 전에 어떤 규칙이 더 필
요할지 생각해 보고 그 규칙이 무엇인지 설명하고 아래 문장 b를 정문으로 고치시오.

a. John ate the beef waffles.
b. *Ate John the beef waffles?

---

[85] 부정의문문(Negative Question)은 부정의미를 재확인하거나 정중하게 의견에 동의해주기를 바랄 때
사용하는데 부정의문문을 만들기 위해서는 양태조동사(modal)와 부정어(not)의 축약이 일어나거나
(contracted) 일어나지 않는데(uncontracted) 비축약은 주로 형식적인 문체(formal style)에서 쓰인다.

(i) a. *Wouldn't it be nice to paint that wall green?*

(More polite than 'It would be nice to paint that wall green.')

   b. *Didn't you see Ann yesterday? How is she doing?*

(For confirmation: I believe that you saw Ann yesterday)

   c. Can't you do that for me?

   d. Don't you get it?

(ii) a. Are you not coming?

   b. Does he not understand?

간접의문문과 SAI

아래 두 문장을 비교하여 주절의 직접의문문과 종속절의 간접의문문의 차이점을 설명하시오.

a. The woman asked [cp whether he could look at the drawing once more].
b. *The woman asked [cp whether could he look at the drawing once more].

3. NP-이동과 통제

언어에서 심층구조 또는 변형의 필요성에 대한 동기부여는 다음과 같이 외견상 유사한 문장의 차이를 구별하기 위해 시작되었다.

　(7) a. John is easy to please.

　　　b. It is easy (for us) to please John.

　(8) a. John is eager to please.

　　　b. *It is eager to please John.

심층구조의 설정은 (7a)와 (8a)의 문장들이 표면상으로는 비슷한 구조를 가졌음에도 불구하고 기저의 의미구조가 달라서 (7b)와 (8b)처럼 다른 문법성을 보이는 차이점을 설명할 수 있다. 두 문장의 차이점을 알아보기 위해 (7a)와 (8a) 문장에서 각각 변형이 적용되기 이전의 구조와 변형이 적용된 후의 구조를 살펴보자.
　먼저 문장 (7)의 분석인 (9)의 문장들을 살펴보자.

　(9) a. John is easy to please. (= John is easily pleased.)

b. DS: [TP₁ ___ is easy [TP₂ (for us) to please **John**]].

(cf. [TP₁ John$_i$ is easy [CP Op$_i$ [TP₂ PRO to please John/t$_i$]])[86]

c. SS: [TP₁ **John**$_i$ is easy [TP₂ to please John/**t**$_i$]]. (NP-이동)

d. [TP₁ **It** is easy [CP (for us) to please John]]. (*It*-삽입)

e. [TP₁ [NP [CP (For us) to please John]] is easy]. (CP-이동)

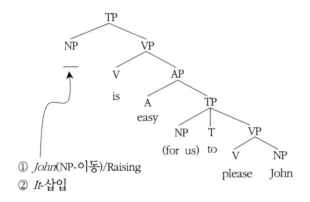

① *John*(NP-이동)/Raising
② *It*-삽입

(7a)의 *John is easy to please* 문장은 *John is easily pleased* (*by us*) 또는 *John is an easy man to please*의 뜻을 갖는데 일반주어 *for us*가 *John*을 기쁘게 하는 것이 쉽다는 뜻이 되므로 주어자리에 있는 *John*은 의미구조에서 종속절의 목적어 자리에서 시작된다는 것을 알 수 있다. 위의 수형도를 보면 *John*은 *please*의 목적어 자리에 나타나고 종속절의 주어는 일반주어(*for us*)이다. 반면 주절의 주어자리는 *is easy*의미역 관계에 의해 행위자와 같은 의미역(theta·role)이 주어지지 않는 의미

---

86) 이러한 구문은 *tough*·구문으로 초기에는 통시적(diachronic) 관점에서 목적어·주어이동이 일어난 것으로 분석되었다. 즉 목적어자리의 *John*이 주절의 주어자리로 바로 이동한 것으로 분석하였다. 이후 지배와 결속이론(GB)에서 이 구문의 분석은 부정사절이 CP라고 간주되었기 때문에 순환이동을 위해서는 논항이 A´-위치로의 이동이 불가능하므로 CP의 A´-위치에 영운용자(null operator: Op)를 설정하여 설명하였다. 그러나 부정사절을 CP가 아닌 결합적 C´나 TP로 보는 주장에서는 순환이동을 요구하는 국면(phase) 또는 장벽이 없고 부정사절의 주어가 외현적 주어인 *John is easy for Mary to please*의 문장의 반례처럼 영운용자(Op)가설보다는 목적어 *John*이 주절의 주어자리로 직접 이동하는 분석이 더 설득력을 갖는다.

적으로 빈자리이다. 의미적으로 *is easy*한 것은 *John*이 아니라 [*(for us) to please John*]이라는 사건(event)이므로 주절의 주어자리는 심층구조에서는 의미적으로 빈자리(semantically empty position)이다.

그러나 주절의 주어자리가 음성적으로 비어 있는 (9b)와 같은 문장은 영어에서 비문이다. 따라서 우리는 이러한 문장을 대화에서 사용할 수 없다. 주절의 주어자리에 외현적 NP가 오지 않는 (9b)와 같은 문장은 영어에서 비문법적이다. 영어의 주절은 항상 시제절이며 시제가 없는 부정사절(infinitival clause)은 종속절에만 가능하다. 문법성을 위배하지 않으려면 시제절인 주절의 주어자리는 의미적으로 빈자리라고 하더라도 외현적인(overt) NP에 의해 반드시 채워져야 한다. 영어와 같은 유형의 언어들에 한국어에는 없는 *it*나 *there*와 같은 지시성(referentiality)이 없는 허사(expletive)들이 존재하는 이유가 바로 이러한 영어의 시제절 외현주어조건 때문이다.[87] 따라서 영어에는 다음과 같이 확대투사원리(Extended Projection Principle: EPP)라고 부르는 시제절 외현주어조건이 있다.

(10) 확대투사원리(EPP)
모든 시제/한정절은 외현적 주어를 가져야만 한다.[88]
(Every tensed/finite clause must have an overt subject.)

시제절 외현주어조건을 준수하기 위해 시제절인 주절의 주어자리가 외현적인 (overt) NP에 의해 채워져야 한다면 (9b)의 주절 주어자리를 외현적 명사구 NP로

---

[87] (i) *It'*s raining. *It'*s Halloween. *It'*s only 2 weeks until we go on vacation.
　 (ii) *There* is a unicorn in the garden. *There'*s a hole in his tire.

[88] 영어시제절/한정절[tensed clause]의 외현주어조건은 비시제절/비한정절[untensed clause] 경우는 외현주어가 아닌 내재주어(covert subject)를 가질 수도 있다는 것을 함축하므로 필자는 편의상 알기 쉽게 다음과 같이 형식화한다. (→ *if then* vs ↔ *if and only if*)

TP[+tense/+finite] → [+overt subject]
TP[-tense/-finite] ↔ [-overt subject]

채울 수 있는 방법은 무엇일까? 시제절의 주어자리를 외현적 범주로 채울 수 있는 방법은 여러 가지가 있다. 이러한 방법들을 구체적으로 살펴보면 다음과 같다.

첫째, 보충어절의 주어나 목적어인 명사구 NP가 주절의 명사구 자리로 이동하는 것을 NP · 이동이라고 한다. 명사구 (9c)에서 종속절의 목적어인 NP *John*이 주절의 주어자리로 이동하는 목적어상승(object · raising)인 NP · 이동의 방법이 가능하다.[89] 이동이 일어난 후에 원래의 빈자리에는 동일한 특질의 범주임을 나타내는 복사(copy: John)를 남기거나 다른 표기법으로는 동지표표지(coindexation)를 갖는 공범주(empty category)인 흔적(trace: t)을 남긴다.[90] 공범주(empty category)란 통사적 특질과 의미적 특질은 있으나 음성적으로 발음만 되지 않는(inaudible/silent) 범주를 일컫는다.

둘째, (9e)처럼 주어 NP 자리에 보충어절 CP 전체가 이동하여 명사절 주어(nominal clause subject)를 만드는 방법도 가능하다. 이때 보충어절의 일반 주어 *for us*는 수의적이다.

셋째, (9d)처럼 NP · 이동을 하지 않고 주절의 주어를 채울 수 있는 다른 방법으로 비지시적(nonreferential)인 허사 *it*(dummy/expletive *it*)으로 주어자리를 채우는 변형인 *It* · 삽입(*It* · insertion)의 방법도 가능하다.[91]

이번에는 표면상으로는 (7a)와 유사해 보이는 (8a)의 문장을 비교하기 위해 아래 문장 (8)의 분석인 (11)를 살펴보자.

---

[89] 주석 87 참조 & 목적어 자리의 *John*이 이동할 때 삽입절이 CP라고 가정하면 운용소(operator)를 가정하여 *John*은 제자리에 있고 *John*과 동지표표지(coindexed)된 운용소(operator) 분석이 가능하나 부정사절은 CP 없는 TP 또는 Spec · CP 자리는 없는 결함적 C´라고 가정할 경우 목적어 자리에서 주어자리로 이동이 가능하다.

[90] 이동이 시작되는 원래위치는 흔적(trace)을 나타내는 *t*로 표시하다가 최근에는 이동 후 원래 자리에 복사본(copy)이 남는다고 가정한다. (흔적이론→복사이론)

[91] 주어자리에 허사라고 부르는 *it*이 나타날 수 있는 것처럼 목적어가 명사구가 아니라 명사절일 경우 외치가 일어나고 목적어 자리에는 허사 *it*이 나타날 수 있다.

   (i) a. She made *it* obvious that she didn't enjoy the food.

      b. He considers *it* a miracle that they weren't killed.

      c. I think *it* wonderful that people have walked on the moon. (예문출처: Berk(1999:236))

(11) a. John is eager to please.

b. DS: [$_{TP_1}$ John is eager [$_{TP_2}$ John to please (someone)]].

c. SS: [$_{TP_1}$ John is eager [$_{TP_2}$ ~~John~~/PRO to please (someone)]].

(동일명사구삭제: ~~John~~ = PRO)

d. *It is eager to please John. (*It-삽입)

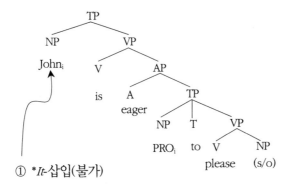

① *It-삽입(불가)

② 동일명사구삭제(Equi-NP Deletion)/Control

(11)의 의미구조인 심층구조에서 주절 is $eager$의 주어자리는 의미역이 없는 is $easy$의 주어자리와는 어휘제약인 선택제약이 달라 행위자(actor)라는 의미역이 주어지는 자리이며 $John$이 이 자리에 온다. 종속절 to $please$의 주어 역시 $John$으로 주절과 보충어절의 주어 둘 다 동일한 명사구 $John$이며 보충어절의 목적어는 일반목적어 $someone$이 된다(→ [John is eager] + [John pleases someone]). 한 문장 안에 동일한 지시(reference)를 갖는 동일명사구가 두 개 나타날 경우 경제성을 위해 회복이 가능한(recoverable) 뒤에 나타나는 동일명사구 NP가 삭제된다. 보충어절이 비시제절이므로 이때 시제절 외현주어조건은 적용되지 않고 주어가 생략되어도 문법적이다. 따라서 (11)에 적용되는 변형은 동일명사구삭제(Equi·NP Deletion)가 일어나며 생략된 자리에는 이동이 아니므로 흔적/복사가 아닌 공범주로서 대명사류 PRO(big PRO)가 남는다.[92]

앞서 be·$easy$·to구문이 인상(raising)이 일어나는 NP·이동이라면

*be - eager - to*구문은 이동이 아닌 삭제가 일어나는 통제(Control)구문이라고 부른다. 그리고 주절의 주어자리는 빈자리가 아니라 심층구조에서 *John*으로 이미 채워져 있으므로 (11d)에서처럼 *It* - 삽입은 불가능하다. 또한 주어자리가 빈자리가 아니므로 보충어절 CP 전체가 이동하는 명사절 이동도 불가능하다. 일반주어나 일반목적어의 경우도 동일명사구삭제처럼 생략이 되어도 의미적으로 해석이 가능한 요소이므로 목적어 자리의 회복 가능한 *someone*도 경제적 관점에서 생략될 수 있다.[93]

결론적으로 (7a)와 (8a)의 문장은 표층구조는 유사하나 심층구조는 서로 다르고, 반면 (7a)와 (7b)의 문장은 표층구조는 다르지만 심층구조는 동일하다는 것을 알 수 있다. 따라서 우리는 심층구조의 설정을 통하여 문장 간의 통사적, 의미적 관계를 자세히 설명할 수 있다.

연습문제 3(1) 동일명사구삭제와 PRO

아래 문장에서 보문절인 *to* –부정사절의 주어를 판별하시오.
a. He wants [Mary to go]. (Who goes? – *Mary*)
b. He wants [to go]. (Who goes? – *He*)
   (= [He wants [~~he~~/PRO to go]])

연습문제 3(2) 동일명사구삭제: 주어통제 vs 목적어통제

아래 문장에서 보문절인 *to* –부정사절의 주어가 *John*인지 *Mary*인지를 판별하시오. (cf. Who is "to leave right away"?)

a. John promised Mary [____ to leave right away]. (주어통제)

---

[92] 이동에 의한 공범주(empty category: e)는 흔적(trace) 또는 복사(copy)이고 삭제에 의한 공범주는 대명사류인 PRO이다.

[93] 주석(65) 참고하시오.

b. John persuaded Mary [___ to leave right away]. (목적어통제)

c. John promised [___ to leave right away]. (주어통제)

생략된 공범주의 특질

경제성을 위하여 회복 가능한 요소는 생략이 가능하다. 생략된 요소는 발음은 되지 않지만(inaudible/silent) 통사적 특질과 의미적 특질은 유지한다. 따라서 생략요소는 의미적 해석이 가능하고 통사적 역할을 한다. 아래 문장에서 생략된 요소가 무엇인지를 찾고 생략요소의 통사적/의미적 역할을 설명하시오. 비문법적인 경우 왜 비문법적인지 그 이유를 설명하시오.

a. We would like __ to stay.

b. He could have left and she __ have stayed.

c. *He could have left and she've stayed.

e. *He could have left and she has stayed.

d. Mind the step!

NP-이동 vs 통제

아래 문장의 a나 b처럼 *to*-부정사절의 주어 또는 목적어를 어떠한 통사규칙이 적용되는지 나머지 문장들을 설명하시오.

a. Mary is eager [to study abroad].

　　← [Mary is eager [~~Mary~~ to study abroad]] (동일명사구삭제)

b. The book is easy [to understand].

　　← [The book is easy [(for us) to understand <u>the book</u>] (NP-이동)

c. John is ready [to do the work].

　　←

d. The dress is expensive [to buy].

　　←

e. A cottage is tough [to buy].

　　←

연습문제 3(5) *Wh*-/NP-이동, *do*-삽입, SAI(T-to-C 이동)

아래 문장에 어떠한 통사규칙이 적용되는지 a처럼 b, c를 설명하시오.

a. Who did the man hire?

⇒ *Wh*-Move, *do*-insertion, SAI

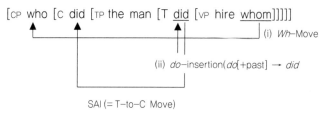

[CP who [C did [TP the man [T did [VP hire whom]]]]]

(i) *Wh*-Move

(ii) *do*-insertion(*do*[+past] → *did*

SAI (= T-to-C Move)

b. Which book did you borrow from the library?

⇒

[CP which book [C did [TP you [T did [VP borrow which book from the library]]]]]

c. John believed her to solve the problem.

⇒

[TP John [VP believed her [TP her to solve the problem]]]

연습문제 3(6) *Wh*-이동, *do*-삽입, SAI(T-to-C 이동)

아래 문장에서 이동 전 원래위치를 복사로 표시하고 어떠한 통사규칙이 적용되는지 a처럼 b, c를 설명하시오.

a. What did Peter eat?

Peter will eat what. (→ *Wh*-Move + *Do*-Insertion + SAI)

b. When did you tell her that Bill was coming?

→

c. Who does he think is clever?

→

4. 주어/목적어상승 이동과 *It*-삽입

4.1 *Tough*-구문

앞서 *be*-*easy*-*to*구문에서 살펴본 것처럼 소위 *tough*-구문이라고 하는 *hard, easy, tough, difficult* 등의 형용사가 나타나는 문장에서 보충어절 목적어가 주절의 주어자리로 이동하는 NP-이동(Object-(to-Subject) Raising)과 NP-이동이 일어나지 않을 경우 *It*-삽입 두 가지가 다 가능하다.

아래 문장에서 (12a)는 의미역 구조인데 영어에서는 시제절 외현주어조건인 EPP를 만족시키려면 주어자리를 외현적 NP로 채워야한다. "빈 주어자리를 외현적 주어로 채워라(*Fill the empty position with an overt subject!*)"는 목표를 설정하면 아래의 (12a) 문장의 주어 빈자리를 채우기 위한 답이 (12c-e)가 될 것이다.

<blockquote>

(12) a. DS: [____ is hard [(for us) to argue with **Mary**]].

   b. *We are hard to argue with Mary. (*주어 인상)

   c. **Mary** is hard to argue with. (목적어 인상/NP-이동)

   d. **It** is hard to argue with Mary. (*It*-삽입)

   e. [(For us) To argue with Mary] is hard.[94]

   (c-e: paraphrases)

</blockquote>

(12b)처럼 종속절 주어자리의 의미상의 주어인 *we*는 이 자리로 이동할 수 없다. (12b)와 같은 문장은 한국어를 영어로 직역하는 습관에 기인하는 한국인 학습자들이 범하기 쉬운 오류이기도 하다. (12c)의 문장은 목적어 NP가 주어자리로 이동한 경우이며, (12d)는 목적어 NP-이동대신 허사 *It*가 삽입된 경우이며, (12e)는 보문절인 부정사절 전체가 주어자리로 명사절 이동을 한 경우이다. 이때 부정사절의 의

---

[94] It is hard that we argue with Mary.의 문장도 동일한 의미를 갖는 부연관계의 문장이다.

미상 주어인 *for us*는 선택적으로 나타날 수도 있다. (12c - e)의 문장들은 모두 동일한 의미역 구조에서 출발하여 동일한 목적(시제절 외현주어조건)을 만족시키기 위해 이동하거나 삽입이 일어난 문장으로 의미가 다 동일하므로 위의 문장들 (12c - e)은 모두 부연관계(paraphrases)에 있다.

연습문제 4.1(1) 목적어 인상 vs *It*-삽입

아래 주어진 (a−d) 예문을 참고하여 왜 (i)의 문장이 비문인지를 설명하시오.

(i) *We are difficult to study English.
   a. DS: [____is difficult [for us to study **English**]].
   b. **English** is difficult for us to study. (목적어 인상)
   c. **It** is difficult for us to study English. (*It*−삽입)
   d. [For us to study English] is difficult.

연습문제 4.1(2) 시제절 외현주어조건

아래 문장에서 빈자리인 주어를 외현적 주어로 채울 수 있는 방법 두 가지를 설명하시오.

(i) _____ was a great honor that *Parasite* won the Oscar for Best Picture and three other Academy Awards Sunday.

4.2 주어상승 또는 *It*-삽입(Subject Raising or *It*-Insertion)

위의 *tough* - 구문에서처럼 *seem*이나 *be likely*구문들도 NP - 이동 또는 *It* - 삽입이 일어날 수 있는데 상승이동인 NP - 이동의 경우 목적어상승 (Object - to - Subject Raising: OSR)이 아닌 보문절 주어가 주절의 주어자리로 이동하는 주어 상승(Subject - to - Subject Raising: SSR)이 일어난다.

아래 문장 (13)과 (14)는 숙어(idiom)로 각각 '비밀이 누설되다'와 '소동이 일다'

라는 뜻을 갖는데 이러한 문장들에서 숙어는 하나의 덩어리(chunk)로 해석되므로 숙어의 일부인 보충어절([the cat to be out of bag], [the fur to be flying])의 주어가 주절의 주어자리로 이동 후에도 숙어의 뜻을 그대로 유지한다면 이러한 숙어 문장은 이동에 대한 증거 문장으로 사용될 수 있다. 즉 (13c)의 문장은 '고양이가 가방 밖으로 나오는 것 같다'로 해석이 되는 것이 아니라 여전히 숙어적 의미인 '비밀이 누설된 것 같다'로 해석이 되기 때문이다.

(13) a. The cat is out of the bag.[95]

    b. DS: [____ seems [**the cat** to be out of the bag]].

    c. [**The cat**] seems [to be out of the bag].

       (Subject Raising/NP‐Move)

(14) a. The fur will fly.

    b. DS: [____ seems [**the fur** to be flying]].

    c. [**The fur**] seems [to be flying].

       (Subject Raising/NP‐Move)

보충어절의 주어가 주절 주어자리로 이동하는 상승은 *seem, be likely, be certain*과 같은 구문에서 일어나는데 보충어절이 비시제절인 부정사절의 경우 주어 상승만이 가능하고, 보충어절이 시제절인 경우 시제절 외현주어조건이라 할 수 있는 EPP에 의해 *It*‐삽입만이 가능하다.

    아래 예문들을 살펴보자.

(15) a. DS: [___ seems [**Steve** to like Mary]] (비시제절)

---

[95] to spill the beans; to tell a secret

b. **Steve** seems to like Mary. (주어 상승)

c. *Mary seems Steve to like.

d. *It seems Steve to like Mary.

(16) a. DS: [___ seems [that **Steve** likes Mary]]. (시제절)

b. It seems that **Steve** likes Mary. (*It* - 삽입)

c. *Steve seems that likes Mary.

연습문제 4.2(1) 주어 상승 vs 동일명사구삭제

아래 문장 중 한 문장은 주어상승인 NP - 이동이 일어난 문장이고 다른 문장은 동일명사구
삭제가 일어난 통제 문장이다. 각 문장을 해석하시오.

a. The cat seems to be out of the bag. (주어 인상)

→

b. The cat tried to be out of bag. (동일명사구삭제)

→

연습문제 4.2(2) 주어 상승 vs *It*-삽입

아래 문장에서 비시제절인 *to*-부정사절의 주어와 시제절 주어의 차이점을 고려하여 아래
문장의 문법성을 설명하시오.

(i) a. DS: [__ seems [**Mary** to like English]]. [비시제절]
   b. **Mary** seems to like English. (주어 인상)
(ii) a. DS: [__ seems [that **Mary** likes English]]. [시제절]
   b. *Mary seems that likes English.
   c. It seems that Mary likes English. (*It* - 삽입)

주어 상승 vs *It*−삽입

아래 문장들의 문법성(grammaticality)을 a와 b처럼 판단하시오. (비문법적(*) vs 문법적 (√))

a. [It seems [Steve to be irritating]]. (*)
b. [Steve seems [to be irritating]].   (√)
c. [It seems [that Steve is irritating]].
d. [It is likely [that Steve will be irritating]].
e. [Steve seems [that will be irritating]].
f. [It is likely [Steve to be irritating]].

NP−이동 + *Wh*−이동

아래 문장을 살펴보면 *Wh*−이동은 보충어절인 부정사절의 주어자리에서 출발할 수 없다는 것을 알 수 있다. 그 이유를 설명하시오.

a. Who [__ seems [__ to be honest]]? [*wh* ← 주절 주어 ← 보충어절 주어]
b. *Who does [it seems [__ to be honest]]? [*wh* ← 보충어절 주어]

5. 이동의 증거

언어에 통사적 운용인 이동이 존재하는데 이동이 존재한다는 증거는 다음과 같은 *wh*·구문과 축약구문의 사례들에서 찾아볼 수 있다.

(17) 이동의 증거:

(i) 하위범주화(Subcategorization): 'hire' V, [___NP]

   a. Who did you hire ___?

      ← [You hire whom.]

b. *Who did you hire the man?

    ←⋯ [*You hire the man whom.]

(ii) 격-표지(Case-marking):

a. Who/*Whom are you sure _____ likes Mary? (주어 *wh* - 이동)

b. Who/Whom are you sure Mary likes _____? (목적어 *wh* - 이동)

(iii) 일치(Agreement):

a. **Which boy** might he say ____ **likes**/*like Mary?

    ←⋯ [He might say [which boy likes Mary]]

b. **Which boys** might he say ___ *likes/**like** Mary?

    ←⋯ [He might say [which boys like Mary]]

c. They want his son to become a millionaire/*millionaires.

    ←⋯ [They want [**his son** to become **a millionaire**]].

d. They want ___ to become *a millionaire/millionaires.

    ←⋯ [They want [**they** to become **millionaires**]].

e. I want to end my relationship with an acquaintance **who**/*whom I am certain lies a lot.

    ←⋯ [I want to end my relationship with <u>an acquaintance.</u> + I am certain (that) <u>an acquaintance</u> lies a lot.] (주격 관계절)

(iv) 조동사와 *Wanna* 축약(Auxiliary and *Wanna* - contraction)

    조동사 축약: 조동사 축약은 바로 뒤에 생략된 요소가 있을 때는 불가능하다.[96]

---

[96] Contraction cannot be used with a missing constituent immediately following.

a. Kim is tall. → Kim's tall

b. Kim is taller than Tim is (tall).

c. *Kim is taller than Tim's __.

d. Mary is good at hockey, and Jean is (good) at volleyball.

e. *Mary is good at hockey, and Jean's ____ at volleyball.

f. How good do you think Mary is ___ at linguistics?

　　←‥ [You think [Mary is how good at linguistics]].

g. *How good do you think Mary's ___ at Linguistics?

Wanna 축약: ([want _ to] → *[wanna])

Wanna 축약은 *want*와 *to* 사이에 이동 후 남은 복사/흔적(copy/trace)이
있을 경우에는 불가능하다.

a. I *want to* leave. → I *wanna* leave.

b. Who do you *want to* beat ___?　[***want to*** beat whom]

c. Who do you *wanna* beat?　　　(주어 *wh* - 이동)

d. Who do you *want* __ *to* win?[97]　[***want*** who ***to*** win]

e.*Who do you *wanna* win?　　　(목적어 *wh* - 이동)

(v) 선택제한(Selectional Restriction)

　　a. **Which dress**/!Which idea might he think she was **wear**ing __?

　　　　←‥ [He might think [she was wearing which dress]].

　　b. **Which witness** did Mary say you thought __ perjured **himself**

---

[97] 이 문장에서 *who*는 부정사절의 주어자리에서 주절의 주어자리로 이동한 문장이며 *who*가 목적어 자리에서 이동한 문장이라고 보지 못하는 이유는 *win* 동사는 하위범주화로 목적어 자리에 사람이 올 수 없기 때문이다. e.g. *win John; √win a game; √win a victory

/*herself/*yourself?

← [Mary said you thought which witness perjured himself].

Wanna-축약

아래 문장에서 *wanna* 축약이 가능한 문장을 고르시오. want와 to사이에 흔적/복사가 남지 않는 목적어 *wh*-이동이 축약이 가능하고 흔적/복사가 남는 주어 *wh*-이동은 축약이 불가하다.

(i) a. Who do you *want to* get the wine? [***want*** who ***to*** get the wine]

   b. Which wine do you *want to* drink? [***want to*** drink which wine]

(ii) a. Who do you *want to* visit?   [***want to*** visit whom]

   b. Who do you *want to* visit Paris?   [***want*** who ***to*** visit Paris]

(iii) a. This novel, I *want to* read.

       [***want to*** read this novel]

   b. This novel, I *want to* be considered for a prize.[98]

       [***want*** this novel ***to*** be considered for a prize]

wanna -축약

다음 문장에 흔적 또는 복사를 표시하여 *wanna* 축약의 가능성(ㄱ)과 불가능성(*)을 판별하시오.

(i) a. Who do you want to kiss?

   b. Who do you want to kiss the puppy?

---

98) a. I want to read this novel.

   b. I want this novel to be considered for a prize.

6. 문법적 타당성

문법의 타당성 단계(Adequacy Levels for Grammar)는 『통사구조』(Chomsky 1957)에서 처음으로 거론되었으나 표준이론에서 그 개념이 명시적으로 정의되었다. 표준이론은 특정 언어이론과 연관된 문법적 기술의 타당성의 개념을 명시화했다.

문법의 타당성은 다음과 같이 세 가지 단계로 분류된다.

(18) a. 관찰적 타당성(Observational Adequacy)
  b. 기술적 타당성(Descriptive Adequacy)
  c. 설명적 타당성(Explanatory Adequacy)

관찰적 타당성은 문법적 기술에 의해서 얻어질 수 있는 가장 낮은 단계로 문법이 기초 언어자료(primary linguistic data)를 정확하게 제시할 때 얻어진다. 문법이 기초 언어자료를 정확하게 제시한다는 것은 어떤 문장이 통사적으로, 의미적으로, 형태적으로, 그리고 음운론적으로 문법적인지 아닌지를 판단할 수 있는 단계를 의미한다. 즉 아래의 문장이 주어졌을 때 문장의 문법성(grammaticality)을 판단할 수 있는 단계가 가장 기초적인 관찰적 타당성의 단계이다.

(19) a. √These boys don't like those girls.
  b. *These boys like those girls don't

기술적 타당성은 모국어 화자의 언어적 직관에 의해 문법성을 판단할 수 있고 아래 (20)에서처럼 관찰된 언어자료들의 통사적 내부구조를 통사적으로 분석할 수 있으며 언어에 내재하는 규칙성을 일반화(generalization)의 관점에서 규칙화하여 기술할 수 있을 때 가능한 단계가 기술적 타당성의 단계이다.

(20) [TP [NP [D These][N boys]] [T don't] [VP [V like] [NP [D those] [N girls]]]]

설명적 타당성은 문법이 지닐 수 있는 가장 높은 수준의 타당성으로 기술적 타당성에 덧붙여 언어 보편성(universality), 최대 제한성(maximal constraint), 심리적 현실성(psychological reality)이 추가된 이상적인 문법의 단계로, 기술적 타당성을 지니는 구조주의 문법과 달리 생성문법은 기술적 타당성과 함께 설명적 타당성을 목표로 하는 언어이론이다. 단기간 내에 어린 아이들이 놀라울 정도의 언어습득 능력을 보이는 명백한 기적을 설명하는 모국어 습득의 문제는 생성문법 이론의 목표이자 설명적 타당성의 문제이기도 하다.

연습문제 6(1) 문법의 타당성 단계

아래 주어진 문장들을 사용하여 문법성 판단, 일반화(규칙화), 보편문법의 관점에서 기술적 타당성과 설명적 타당성의 단계를 논하시오.[99]

(i) a. I don't like detective stories.
　　b. Detective stories, I don't like __.
　　c. Which detective stories do you like __?
　　d. He won't give any money to Bill.
　　e. To Bill, he won't give any money __.

(ii) a. I wonder [*if* he likes detective stories].
　　b. *Detective stories, I wonder [*if* he likes __].
　　c. *Which detective stories do you wonder [*if* he likes __].
　　d. I wonder [*if* he will give any money to Bill].
　　e. *To Bill, I wonder [*if* he will give any money __].
　　f. *Any money, I wonder [*if* he will give __ to Bill].

---

[99] Hint: How can we generalize the grammatical rule applying to the examples?
　　　How do children acquire this rule?
　　　Can the rule be applied to other languages universally?

(iii) a. During the holidays, why did they invite Tom?[100]

   b. I wonder why during the holidays they invited Tom.

   c. *I wonder during the holidays, why they invited Tom?

(iv) a. He might ask [*whether* Mary hid what].

   b. *What might he ask [*whether* Mary hid __].[101]

   c. *Which detective do you wonder [*if* Mary will invite __ for dinner]?

100) 예문 출처: Haegeman, L & J. Guéron (1999: 345)

101) Wh - 섬 제약(Wh - Island Constraint):
   "No element in English must be moved across *if/whether* or *wh*-element in comp."

   * [XP ....[CP C[**+wh**] [TP .... XP]]

   종속절의 Comp자리에 *if*나 *whether*와 같은 *wh*-보문소나 *wh*-구가 있을 경우 종속절은 섬을 형성하며 섬 안의 모든 요소는 동결(frozen)되어 종속절의 어떤 요소 X도 *wh* - 섬(*wh* - island) 밖으로 이동할 수 없다. (cf. Comp[±wh] 종류: *that*[-wh] vs *if/whether*[+wh], *what/who/where* [+wh]).

제8장
___

이동과 제약
CONSTRAINTS ON MOVEMENT

1. 구문기반 이동제약

이동은 한 구조에 변형을 적용하여 새로운 구조를 생성하는 것이므로 과다하게 비문법적인 문장도 만들어낼 수 있으므로 이러한 이동의 지나친 생성력을 제한하기 위하여 60년대 초부터 많은 제약들이 제안되었다. 특히 확대표준이론이 시작된 70년대는 이동규칙의 제약들이 어느 때보다 많이 제안되었다. 60년대와 70년대에 제안된 이동의 제약조건들은 두 종류로 분류될 수 있는데, 이는 이동이 적용되기 이전의 원래 위치(original position)에 대한 제약과 변형 후의 위치(landing site)에 대한 제약이다. 이러한 일련의 구문기반(construction · based) 이동제약은 이후 80년대 지배와 결속이론(Government and Binding: GB)에 와서 하위인접(Subjacency)과 같은 상당히 일반화된 원리로 변화하면서 변형부문도 "α · 이동(Move · α)"로 최소화되었다. 일련의 구문기반 제약들이 하위인접조건을 지키는 α · 이동으로 일반화되었으나 초기의 구문기반 제약들은 한국어와 상당히 다른 영어를 학습할 때 두 언어의 차이점을 이해하고 상응하는 한국어구문에서는 정문인 문장들이 영어의 경우는 왜 이동이 불가능한 지를 이해하는데 상당히 유용하다. 한국인 학생들이 범하기 쉬운 영어의 오류를 피하기 위해 영어에 적용되는 구문기반 이동제약에 대해 알아보자.102)

1.1 상위범주우선원리(A - over - A Principle)

이동에 대한 제약조건은 Chomsky(1964)의 A - over - A Principle(상위범주우선원리)에 의해서 최초로 제안되었다. 상위범주우선원리의 동기는 다음과 같은 문장의 중의성(ambiguity)에 있다.

(1) Mary saw the boy walking to the railroad station. (2 readings)

    a. saw [NP the boy [CP (who was) walking to the railroad station]].

    b. saw [NP the boy] [VP walking to the railroad station].

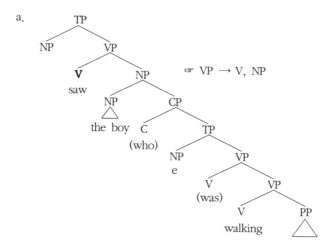

---

102) 한국어에는 영어와 달리 외현적인 *wh*-이동이 없는 제자리 *wh*-이동(*wh*-in situ)을 하므로 영어의 비문법적인 구문들이 거의 모두 한국어에서는 정문이 된다.

b.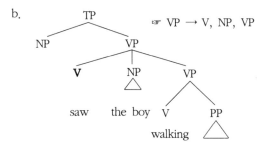

☞ VP → V, NP, VP

(2) a. Who did Mary see walking to the railroad station?

Ans: the boy (in (1b))

b. Who did Mary see?

Ans: the boy walking to the railroad station (in (1a))

(1)의 문장은 관계절을 포함하는 복합 명사구를 갖는 문장해석(a)과 목적어 *the boy*와 목적보어인 *walking to the railroad station*을 갖는 문장해석(b)으로 두 개의 다른 구조분석으로 중의적 해석이 가능하지만 (1)의 문장을 의문문으로 바꾼 (2)의 문장은 (1b)의 해석만을 갖는다. 중의성이 사라지는 이유는 바로 상위범주우선원리라는 이동에 대한 제약이 있기 때문이다.

(3) 상위범주우선원리(A-over-A Principle):

만약 한 변형규칙이 특정 절점과 그 절점을 관할하는 같은 범주의 상위절점 둘 다에 적용이 가능하다면 상위범주만이 그 규칙에 의해 영향을 받는다. (If a transformational rule has the potential to apply both to a particular node and to another node of the same category which dominates it, only the dominating node may be affected by the rule.)

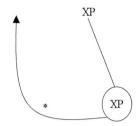

연습문제 1.1(1) A - over - A Principle

다음 a와 b문장에서 상위 전치사구 PP₁은 이동이 가능하지만 하위 전치사구 PP₂는 이동이 불가하다. 그 이유를 설명하시오.

The players will emerge [PP1 out [PP2 of this tunnel]] before long.

a. *Of this tunnel, the players will emerge out before long.
b. √Out of this tunnel, the players will emerge before long.

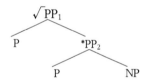

1.2 복합명사구제약(Complex Noun Phrase Constraint: CNPC)

(4) 복합명사구제약(CNPC):

어휘명사 핵을 갖는 명사구에 의해서 관할되는 문장으로부터 어떤 요소도 그 명사구 밖으로 이동할 수 없다. (No element contained in a sentence dominated by a noun phrase with a lexical head noun may be moved out of that NP by a transformation. Ross(1965))

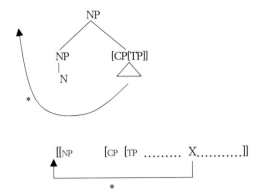

복합명사구제약은 구조상 명사가 관계절과 같은 절(clause) 수식어 또는 전치사구 수식어를 포함하여 복합적(complex)이 된 복합명사구(complex noun phrase: [NP+CP])가 있을 경우 복합명사구는 일종의 섬(island)을 형성하여 그 섬 안에 있는 어떠한 요소도 밖으로 빠져나가지 못한다는 제약이 복합명사구제약(CNPC)이다.

아래에서 복합명사구제약을 위배한 예문들을 살펴보자.

(5) a. I believe [NP the claim [CP that [TP Bill saw Mary]]].

    b. *Who do you believe [the claim [that Bill saw ___]]?[103]

    c. Who do you believe that Bill saw?

(6) a. I believe [NP the fact [CP that he was wearing the hat]].

    b. *the hat I believe the fact that he was wearing __]]

    c. the hat I believe that he was wearing

(7) a. I chased [NP the boy [CP who threw the snowball at our teacher]].

    b. *Here is the snowball which I chased the boy who threw __ at our teacher.

---

103) __ 표시는 wh-구의 원래위치를 나타내며 이는 후에 흔적(trace)을 나타내는 t로 표시되다가 최근에는 이동 후 원래 자리에 복사본(copy)이 남는다고 가정한다. (흔적이론→복사이론)

연습문제 1.2(1) 복합명사구제약(CNPC)

다음 문장들의 문법성을 판단하시오. 만약 비문이라면, 어떤 제약을 위배하고 있는지 설명하시오.

a. What can't you explain [the fact [that she bought __]]?
b. The jacket which I believe [that John was wearing __] is quite fashionable.
c. The suspect [that the police were going to interrogate __] ran away.
d. What does Bob know [the man [who said __]]?

1.3 등위구조제약(Coordinate Structure Constraint: CSC)

(8) 등위구조제약(CSC):

등위구조 안의 접속요소나 각 접속요소 안에 있는 어떤 요소도 등위구조 밖으로 이동할 수 없다(In a coordinate structure, no conjunct may be moved, nor may any element contained in a conjunct be moved out of that conjunct).

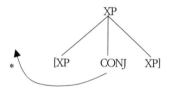

아래 문장은 등위구조제약을 위배한 문장이다.

(9) a. John was eating [beans and coffee].

   b.*What was John eating beans and ____?

(10) a. [John and Mary] saw the movie.

   b.*Who did John and ___ see the movie?

(11) a. You saw Mary with whom.

　　　　→ Who did you see Mary with?

　　 b. You saw Mary and whom.

　　　　→ *Who did you see Mary and?

등위구조 구문의 한 접속요소(conjunct)로부터 어떠한 요소가 이동하는 경우는 등위
구조제약을 위배하는 비문법적인 문장이나 각각의 접속요소로부터 동일한 요소가
획일적으로 이동해 나올 경우 그 문장은 정문이 된다. 아래 문장을 비교해보자.

(12) a. *I don't know which book Bill [bought ___ from Shirley] and [sold
　　　　 War and Peace to Fred].

　　 b. I don't know which book Bill [bought ___ from Shirley] and [sold
　　　　 ___ to Fred].

위의 문장 (12)에서 a의 문장은 등위구조제약을 위배한 문장이나 b의 문장은
*which book*이 등위구조의 접속요소인 [bought *which book* from Shirley]와 [sold
which book to Fred]로부터 동일하게 이동해 나온 구문인데 이렇게 모든 접속요소
에 획일적으로 적용되는 규칙을 '전역규칙(Across‐the‐Board Constraint: ATB)[104]
이라고 하며 이 경우 문장은 문법적인 문장이 된다. 즉 등위구조의 한쪽의 접속요
소에서만 이동해 나오는 경우는 등위구조의 균형을 잃지만 접속요소 양쪽에서 동
일한 요소가 빠져나오는 경우는 여전히 등위구조라는 균형을 지킬 수 있기 때문
이다. 전역규칙을 명시적으로 설명하기 위한 아래의 비유적 그림을 보고 전역규
칙의 예문들을 살펴보자.

---

[104] "An element can be extracted from one conjunct only if an identical element is extracted from
every other conjunct as well." 전역규칙(Across-the-board): 전면적인, 획일적인(모든 범주 또는 구
성원을 포함하는) 운용

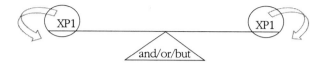

(13) a. Students [who ___fail the final exam] or [who __ do not do the reading] will be excluded.

b. This is the man [Bill hates ___], but [Mary loves ___].

c. How many books did John decide to [remove __ from his office] and [take ___ to Margaret's house]?

전역규칙(Across-the-Board Constraint(ATB))

아래 문장 a. b의 문법성을 판단하시오. (비문법적(*) vs 문법적(√))

You think [[Michelle likes Bill] and [Obama hates Bill]].

a. Who do you think Michelle likes _ and Obama hates Bill.
b. Who do you think Michelle likes _ and Obama hates _ ?

1.4. 좌분지 조건(Left Branching Condition: LBC)

영어와 같은 유형의 언어에서는 명사구 안의 왼쪽에 있는 요소는 이 요소를 포함하고 있는 명사구 밖으로 이동할 수 없다.[105]

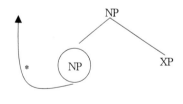

---

[105] The leftmost constituent of a nominal expression cannot be extracted out of the expression containing it.

(14) a. You liked [[my] [book]].

     b. *Whose did you like [___ book]?

     c. *Whose book* did you like? (cf. natural constituent)

연습문제 1.4(1) 좌분지 조건

다음 문장들은 좌분지 조건을 지키지 않아 비문인 문장들이다. 이러한 비문들을 정문으로 고치시오.

a. *Which did she choose dress?
b. *How are you happy with it?
c. *How will the reward be big?
d. *How do you behave well?
e. *Whose have you borrowed car?

연습문제 1.4(2) 좌분지 조건

아래 NP의 구조에 유의하여 a. b 문장의 문법성의 이유를 설명하시오.

He is [NP a professor of English].

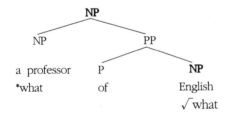

a. √What is he a professor of ___?
b. *What is he ___ of English?

좌분지 조건

좌분지 조건에 근거하여 아래 문장의 문법성을 판별하시오. (비문법적(*) vs 문법적(√))

a. The hood of your car was damaged by the explosion.
b. Of which car was the hood damaged by the explosion?
c. What was of your car damaged by the explosion?

좌분지 조건

서수가 포함된 한국어 문장들은 간단한 문장의 경우도 영어로 직역하면 어려움이 있는 문장이다. 그 이유는 영어에만 적용되는 좌분지 조건 때문인데 아래 구조를 참고 하여 좌분지 조건을 위배하지 않도록 아래 문장들을 영작하시오.

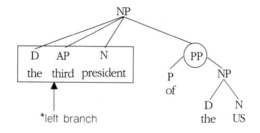

a. Thomas Jefferson은 미국의 몇 대 대통령입니까?
   (← Thomas Jefferson was [the third President of the United States].)
b. 이번 방한은 몇 번째 방문입니까?
   →
c. 이 통사론 책은 Chomsky의 몇 번째 저서입니까?
   →

1.5. 주어절제약(Sentential Subject Constraint: SSC)

주어절(nominal clause subject)로부터 어떤 요소도 이동할 수 없다.

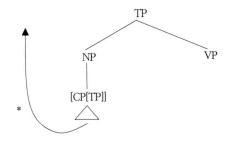

(15) a. [NP [CP That [TP the principal would fire the teacher]] was expected by
    the reporters.

  b. *The teacher who [that the principal would fire ___] was expected by
    the reporters.

(16) a. [NP [CP That [TP John will eat the beef]]] is likely.

  b. *What is [that John will eat ___] likely?

  c. *The beef [that John will eat ___] is likely.

2. 통사구조와 구조보존원리

과잉생성을 제한하기 위해 어떤 특정한 위치만이 이동의 기착지(landing site)
로 가능한데 구성소가 이동될 수 있는 위치를 제한하는 대표적인 제약이 구조보
존제약(Structure Preserving Constraint: SPC)이다. 이 원리는 이동하는 구성소는
동일한 범주의 자리로만 이동할 수 있다는 것인데, 예를 들면 명사구 DP는 동사
V의 자리로 이동할 수 없고 명사구는 명사구의 자리로만 이동이 가능하다는 것이
다. 비어 있는 절점에 같은 범주의 요소가 이동함으로써 구구조의 원형을 유지해
야 하기 때문이다.

구조보존원리는 구구조가 근본적으로 달라져서는 안 된다는 것인데, 구범주

XP는 XP의 자리로 이동할 수 있고 핵(head)인 X는 X의 자리로만 이동할 수 있다. 예를 들면 핵 V는 핵의 빈자리인 T로 이동할 수 있고 T는 또 다른 핵의 자리인 C로 이동할 수 있다. DP는 DP의 빈자리인 XP의 지정어 자리로만 이동이 가능하다. 예를 들면, DP는 주어자리인 TP의 지정어(Spec · TP) 자리로 이동하거나 의문 명사구는 CP의 지정어(Spec · CP)로 이동할 수 있다.

문자화(Spell-Out) 구조에서 비어 있는 절점은 어떤 식으로든(예: 이동, 삽입 등) 채워져야 하는데 구조보존원리에 따라 동일한 범주의 자리로만 이동이 가능하며 그렇지 않으면 비문이 된다.

구조보존원리를 따르는 DP · 이동의 제약으로는 구조보존제약과 공절점조건, 복사이론 등이 있다.

(17) 구조보존제약(SPC): 한 범주는 동일한 다른 범주에 의해서만 대치될 수 있다(A category can only be substituted for another category of the same type; e.g. NP moves only to the NP-position).

(18) 공절점조건(Empty Node Condition): 이동되는 범주는 오직 빈자리로만 이동될 수 있다(A moved constituent can only be substituted for an empty category).

(19) 복사이론(Copy Theory): 이동된 범주는 원래 자리에 동지표표시되는 복사를 남긴다(A moved constituent leaves behind a coindexed copy of itself).

위의 세 조건을 만족하는 NP · 이동의 대표적인 예는 수동구문(passivization)과 상승구문(raising)이 있고 허사구문도 이에 속한다.

(20) a. [NP_____] was defeated Germany by Russia.
    b. Germany was defeated by Russia. (NP · 이동)

(21) a. [NP_____] seems Mary to study English very hard.

 b. Mary seems to study English very hard. (NP - 이동)

(22) a. [NP _____] arrived a man yesterday.

 b. A man arrived yesterday. (NP - 이동)

 c. There arrived a man yesterday. (*there* - 삽입)

3. 비이동 구문

능동태 구문(active voice)과 수동태 구문(passive voice)은 서로 상관성을 갖는 이동구문처럼 보이나 서로 독립적인 비이동 구문 분석인 어휘 분석이 일반적이다. 능동태와 수동태가 서로 관련성을 갖는 이동분석의 경우는 능동태는 행위자 주어를 강조하고 수동태는 목적어를 강조할 때 사용되므로 아래 문장들은 능동구문의 목적어가 수동구문의 주어자리로 이동하고 동사형태가 *be+p.p*(passive particle)로 바뀌기는 이동분석이 가능한 구문들이다.[106]

(19) a. My cousin tackled the shoplifter.

  The shoplifter was tackled by my cousin.

 b. Carl sounded the alarm due to the panic.

  The alarm was sounded due to the panic.

그러나 비이동을 주장하는 수동구문분석의 경우는 의미변화가 일어나는 구문들 때문인데 이제 비이동분석의 근거가 되는 의미변화가 일어나는 수동태를 살펴보

---

[106] 이때의 p.p는 과거분사(past particle)의 약자가 아니라 수동분사(passive participle)의 약자이다. 통사적으로 과거분사는 동사이고 수동분사는 형용사라는 점에서 다르다.

자. 의미변화가 일어나는 능동태와 수동태의 비 관련성을 보여주는 대표적인 예는 *some, many, few, any, every, no*와 같은 수량형용사인 양화사(quantifier)를 포함하는 수동태(passive)구문이다. 예를 들면 아래 문장에서 능동태(active) 문장과 수동태 문장은 독립적으로 각각 의미가 다르다.

(20) a. Many men read few books. (many 〉 few)

　　b. Few books were read by many men. (few 〉 many)

(21)　a.　　　　　　　　　　　　b.

(21a)의 능동태 문장에서는 구조적으로 위에 있는 양화사 *many*가 *few*보다 큰 영향권(wide scope)을 갖게 되어(= It is many men who read few books.) '많은 사람들이 거의 독서를 하지 않는다', 즉 독서를 하지 않는 사람들이 많다는 뜻이 되며, 수동태 문장인 (21b)에서는 목적어가 주어와 구조적 위치가 바뀌므로 이번에는 *few*가 *many*보다 큰 영향권을 갖게 되어(= It is few books that many men read.) '극소수의 책만이 많은 사람들에 의해서 읽힌다', 즉 많은 사람들이 읽는 책은, 예를 들면 성경(Bible)처럼 극소수의 책이라는 능동태 문장과는 전혀 다른 뜻을 갖게 된다.

연습문제 3(1)　능동태 구문 vs 수동태 구문

양화사를 포함하는 능동태구문과 수동태구문은 의미가 서로 관련성이 없다. 아래 문장들의 의미적 차이를 (i)에서처럼 설명하시오.

(i) a. Everyone in the room knows two languages.

    b. Two languages are known by everyone in the room.

a. person$_1$ language$_1$
person$_2$ language$_2$
person$_3$ language$_3$
person$_4$ language$_4$

(Any two languages)
Every 〉 Two

b. language$_1$ person$_1$
language$_2$ person$_2$
      person$_3$
      person$_4$

(Two specific languages)
Two 〉 Every

(ii) a. A picture of John$_i$ upset him$_{i/j}$

    b. He$_i$ was upset by a picture of John*$_{i/j}$

(iii) a. Many arrows didn't hit the target.

    b. The target was not hit by many arrows.

(iv) a. Einstein has visited Princeton.

    b. Princeton has been visited by Einstein.

제9장
───

Wh-이동
Wh-MOVE

1. α -이동

　　모든 명사구 이동은 하나의 간결화된 규칙인 NP·이동(Move·NP)으로 통일되고 "On Binding"(Chomsky, 1980)에서는 더 나아가 NP·이동과 *Wh*·이동(*Wh*·Move)을 포함하여 하나의 통일된 이동원리인 'α·이동(Move·α)'이 제안되었다. 여기서 α는 임의적 변수를 말한다. (α = *Wh*, NP, etc)

(1) 　　　┌ NP-이동 ─────┐
　　　이동 ┤　　　　　　　　　├─α-이동(Move-α)
　　　　　 └ *Wh*-이동 ─────┘

α·이동은 "아무 범주 α를 아무 곳으로나 이동하라(Move any category anywhere)"로 변형의 절대적 최소화를 가져왔으나 문장을 과잉 생성할 수도 있는 문제점을 지니게

된다. 따라서 이러한 과잉생성을 원리적으로 제약하기 위하여, α - 이동의 '아무 곳 (anywhere)'을 제약하는 조건으로 하위인접조건(Subjacency)이 제안되었으며 '아무 범주(any category α)'를 제약하는 조건으로 X' - 구조(X - bar structure), 구조보존 제약(Structure Preserving Constraint: SPC) 등의 조건이 제안되었다.

2. *Wh* - 의문문

Wh - 이동의 대표적인 구문이 *wh* - 의문문(*wh* - question)이다. 의문문에는 *Yes/No* - 의문문과 *Wh* - 의문문이 있는데 전자는 SAI 규칙을 요구하고 *Wh* - 의문 문은 *Wh* - 이동과 SAI(=T - to - C 핵이동) 규칙을 필요로 한다.[107] *Wh* - 이동은 *wh* - 단어가 [+wh,+Q]의 자질을 갖고 있는 보문소 C와 자질의 일치가 일어나는 CP의 지정어 자리(Spec - CP)로 이동하여 동일자질을 점검하기 위한 것이다. 따라 서 *wh* - 의문문은 CP의 지정어 자리로 *wh* - 구를 이동한다.

(2) a. You can buy what.

    b. What can you buy?

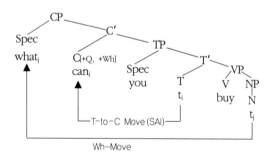

---

[107] Yes/No - 의문문은 답변을 Yes/No로 하며 *wh*-의문문은 답변을 Yes/No가 아닌 *wh*-word에 상응하 는 단어로 답변을 한다.

  e.g. Yes/No - Questions: Did you see the film? - √*Yes/No* *The opera

     Wh - Questions: What did you buy? - *Yes/No √*A bag*

Spec · CP에 나타나는 *wh* · 구는 NP만 올 수 있는 주어가 나타나는 Spec · TP의 자리와 달리 *wh* · 구는 XP 범주로 NP, PP, AP, AdvP와 같은 *wh* · 단어들이 올 수 있다.

(3) a. What do you think I am? (NP: 의문대명사)

    b. Who did you give a letter to? (NP: 의문대명사)

    c. To whom did you give a letter? (PP: 동반이동(pied · piping))

    d. Which one do you like best? (AP: 의문형용사)

    e. When did you meet him? (AdvP: 의문 부사)

    f. How well did you behave? (AdvP: 의문부사)

    g. How happy are you with it? (AdvP: 의문부사)

연습문제 2(1)   *Wh*–Move + *do*–Insertion + SAI

Wh–의문문은 NP, PP, AP, AdvP와 같은 *wh*–단어를 문장의 맨 앞(Spec–CP)으로 이동한다. 주어진 예시 a–c처럼 이동 전 문장을 쓰고 어떤 변형규칙이 적용되는지 설명하시오.

a. What did Peter eat?

   [Peter ate what] → *Wh*–Move + *do*–Insertion + SAI

b. In which folder does Margaret keep the letters?

   [Margaret keeps the letters in which folder] → *Wh*–Move + *do*–Insertion + SAI

c. How big will the reward be?

   [The reward will be how big] → *Wh*–Move + SAI

d. Where will John live?

   →

e. Which car will your father put in the garage?

   →

f. When did you tell her that Bill was coming?

   →

g. Why did you tell her that Bill was coming?

   →

h. Who does he think is clever?

   →

i. What movie won Best Picture at the Oscars tonight?

   →

3. *Wh* - 이동과 하위인접조건

Ross(1968)의 제약들이 구문 중심적(construction - based)인 요소들을 갖고 있으므로, 이후 구문 중심적이던 복합명사구제약(CNPC), 등위구조제약(CSC), 주어절 제약(SSC), 좌분지 조건((LBC) 그리고 *Wh* - 섬 제약(*Wh* - island constraint)과 같은 일련의 제약들의 개별성을 일반화하고 하나의 원리로 통합하려는 시도가 이루어졌다.

기술적 타당성은 있으나 설명적 타당성이 결여된 결점을 보완하기 위해 근본적으로 개별적이고 구문 중심적인 제약을 극복하고 일반성(generality)과 자연성(naturality)을 갖는 제약을 추구하려는 노력의 결과가 하위인접조건(subjacency condition)이다. 하위인접조건은 NP - 이동이 아닌 *Wh* - 이동을 제약하는 조건이며 'α - 이동(Move - α)'의 "Move any category α anywhere"에서 "아무 곳(anywhere)"의 방향과 위치를 제한하는 조건이다.

   (4) 하위인접조건(Subjacency)

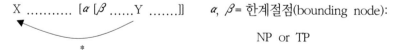

                                         α, β= 한계절점(bounding node):

                                                NP or TP

   어떤 규칙도 X와 Y를 관련시키지 않는다(No rule can relate X and Y).

위의 하위인접조건하에서의 한계절점(bounding node)은 순환절점(cyclic node)과 동일한 의미이고 영어에서의 한계절점은 NP와 TP를 의미한다. 따라서 하위인접조건(10)을 풀어 이야기하면 다음과 같은 구조에서 Y가 왼쪽에서 이동해 나올 수 없다는 것을 설명한다.

(5) a. * ....[NP ...   [TP .... Y ....]]

    b. * ....[NP ...   [NP .... Y ....]]

    c. * ....[TP ....   [NP .... Y ....]]

    d. * ....[TP ..... [TP .... Y..................]]

(5)는 'Y가 하나의 규칙적용에서 두 개 이상의 NP 또는 TP를 포함하는 구문으로부터 이동되어 나올 수 없다(Y cannot be moved out of more than one containing NP or TP node in any single application)'는 것을 의미한다.

이제 구체적인 예문을 통하여 하위인접조건에 대하여 자세히 알아보자.

(6) What will he think that you were doing?

[CP what_i will [TP_1 he think [CP t_i[that[TP_2 you were doing t_i]]]]

[CP _ comp [TP_1 he will think [CP __ that [TP_2 you were doing what]]]]

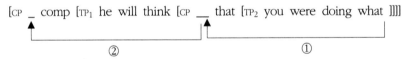

                  ②   ①

Wh · 이동도 NP · 이동과 동일하게 대치(substitution)로 취급하여 문장 맨 앞자리인 보문소 C의 왼쪽자리로 이동한다(Chomsky, 1986b). *Wh* · 요소가 이동하는 문장 맨 앞의 C의 왼쪽자리는 X′ · 구조를 사용할 경우 C의 지정어 자리라고 부르고 Spec-CP(또는 Spec-C)라고 쓴다. 요약하면, *wh* · 이동에서 *wh* · 구는 Spec · CP의 자리로 그리고 주어 · 조동사도치가 동시에 일어날 경우 조동사는 C의 자리로 이동한다.

Wh·이동에서 C의 왼쪽자리로 *wh*·구가 이동하는 구조는 다음과 같다.

(7)
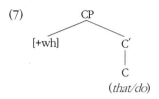

위의 예문 (6)에서 종속절의 *what*이 문장의 맨 앞으로 갈 수 있는 방법은 두 가지가 있다. 한 번에 주절의 C의 지정어 자리로 가는 방법과 종속절의 C의 자리를 거친 후 단계적으로 또는 순환적으로 주절 C의 지정어 자리로 가는 방법이 있는데 규칙 적용에는 다음과 같은 순환규칙이 적용된다.

(8) 연속순환적용(Successive Cyclic Application)[108]

변형은 종속절 안에서 먼저 적용되고 그런 후 상위절에 적용된다.

(Transformations apply first in an embedded clause and then in a higher clause.)

이제 (6)에서의 *wh*·이동과 하위인접조건을 살펴보면 기저의 *what*은 첫 번째 순환절점인 종속절 TP_2에서 연속순환에 의해 원래의 자리에 흔적(original trace)을 남기고 종속절 *that* 왼쪽으로 이동하고 다시 중간의 *what*은 제2의 중간흔적 t_i'를 남기고 두 번째 순환절점 TP_1의 C의 지정어 자리로 이동한다. 연속순환의 첫 번째 순환(i)에서 *what*은 한 개의 경계절점 TP_2만을 지나고 두 번째 이동(ii)에서도 한 개의 경계절점 TP_1만을 지나므로 연속순환이동을 하는 예문 (6)의 *wh*·이동은 하위인접조건을 위배하지 않는다. 따라서 문장 (6)은 정문이다. 문장 (6)의 이동을

---

[108] 연속순환적용과 함께 다음과 같은 엄격순환조건(Strict Cycle Condition, Chomsky 1973)이 적용된다. 규칙은 큰 영역으로 이동한 후에 아래 도형에서처럼 다시 작은 영역으로 되돌아와 적용될 수 없다. (Rules cannot return to earlier stages of the cycle after the derivation has moved to larger domains.)

수형도로 그려보면 다음과 같다.

(7)

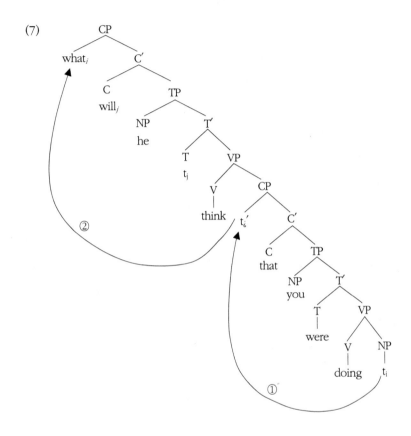

이제 하위인접조건을 위배하는 문장을 알아보자.

(8) *Which book did you ask John where Bill bought?

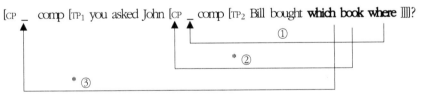

[CP which book$_i$ did [CP you ask John [CP where$_j$ [TP2 Bill bought t$_i$ t$_j$]]]]?

(8)의 경우 첫 번째 순환절점인 TP$_2$의 comp의 왼쪽 지정어 자리로 이동해야 하는 두 개의 *wh* · 요소가 있는데 Comp는 두 개 이상의 *wh* · 자질을 받을 수 없다는 제약을 갖고 있다. 보문소는 오직 하나의 *wh* · 자질만을 취하는데 *wh* · 자질을 취하는 요소로는 *wh* · 요소(의문사 *what, where, how,* 등)와 보문사 *if, whether* 등이 이에 속하며 두 개 이상의 *wh*-요소가 comp자리에 오지 못한다는 제약은 '이중보문소여과(Doubly Filled Comp Filter)'라고 부른다.[109] 이러한 이중보문소여과를 위배하는 구문은 '종속절의 Comp자리에 이미 *wh* · 요소가 있는 경우 종속절의 어떠한 요소도 종속절 밖으로 이동할 수 없다는 *Wh* · 섬 제약(Wh · Island Constraint)으로도 설명할 수 있다.

(8)의 도출과정 중 종속절의 *where*가 종속절의 comp자리로 이동하면 종속절의 *which book*은 TP$_2$의 comp자리가 이미 *wh* · 요소로 채워져 있으므로 이중보문소여과에 의하여 TP$_2$의 comp자리로 가지 못하고 바로 주절의 comp 자리로 이동해야만 한다. 이때 *which book*은 종속절 TP$_2$와 주절 TP$_1$ 둘 다를 지나므로 TP$_1$, TP$_2$의 순환절점을 2개 지나게 되어 하위인접조건을 위배하게 된다. 따라서 문장 (8)은 비문이다. (8)의 문장을 수형도로 살펴보자.

---

[109] 보문소(complementizer)는 [-wh]적인 것과 [+wh]적인 것 두 종류로 나누는데 전자에는 *that*이 속하며 후자에는 *if, whether*가 있다.

(9)

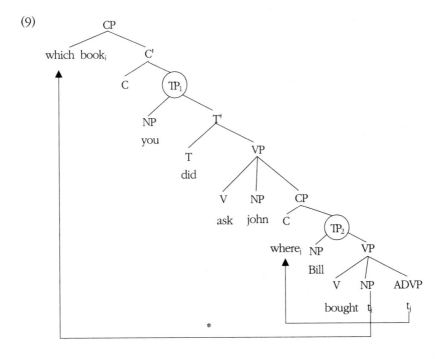

하위인접조건을 위배하는 다른 예문을 살펴보자.

(10) *Who do you believe the claim that Bill saw?

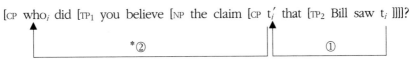

(10)에서 *who*는 먼저 종속절 C의 왼쪽 지정어 자리로 이동하는데 이때는 순환
절점 TP₂만을 지나므로 하위인접조건을 위배하지 않는다. 종속절 Spec - CP자리
의 *who*는 다시 그 자리에 중간흔적 t_i'를 남기고 주절의 C의 왼쪽 지정어 자리로
이동하는데 두 번째 이동에서 두 개의 순환절점인 NP와 TP₁를 이동하므로 하위
인접조건을 위배하게 되어 문장 (10)은 비문이 된다. (10)의 문장은 복합명사구제
약을 위배하는 문장이기도 하다.

결론적으로 위의 예문들을 보면 wh-섬 제약을 위배하는 (8)의 문장이나 복합명사구 제약을 위배하는 (10)의 두 문장이 모두 하위인접조건 하나로 통합하여 설명이 가능하다는 것을 보여준다. Wh-섬 제약이나 복합명사구제약이 구문중심적인 개별적 제약이라면 하위인접조건제약은 여러 제약을 하나로 묶는 보편규칙으로 규칙의 일반화라는 장점을 갖는다.

연습문제 3(1) 하위인접조건

다음 문장의 이탤릭체로 표시된 wh-구의 이동 이전의 구조에 복사의 위치를 표시하고 비문인 경우 문장이 어떤 wh-이동제약을 위배하는지 a.처럼 설명하시오.

a. *What did Bill reject the evidence that John did?
   [Bill rejected the evidence that John did <u>what</u>]
   → CNPC or Subjacency 위배

b. *Which book did Susan visit the store that had in stock?
   →

c. *Who did your interest in surprise Bill?
   →

d. *What would for me to do annoy you?
   →

e. *How do you wonder if John fixed the car?
   →

f. *Who did you know whether Mary would get the birthday gift from?
   →

g. *Who did pictures of please you?
   →

h. *Who did John and see the movie?
   →

l. *Who are you anxious about whether you will get a Valentine card from?
   →

하위인접조건

다음 문장의 복사로 표기된 원래 위치를 살펴보고 어떤 이동제약을 위배하는지 주어진 예시 a처럼 설명하시오.

a. *Where did he wonder what John put <u>what</u> <u>where</u>?
   → Subjacency (or *Wh*–Island Constraint violation)
b. *What is that she bought <u>what</u> is obvious?
   →
c. *<i>What</i> did Bill believe the fact that John did <u>what</u>?
   →

that–흔적 효과

아래 (i)과 (ii)는 *that*–흔적 효과(*that*–trace effect)라고 부르는 주어/목적어 대치 (subject–object asymmetry)현상이다.[110] 아래 4개의 문장들을 비교 분석하면 보문소 *that*이 항상 수의적인 것이 아니라는 것을 알 수 있다. 보충어절의 주어 *wh*–이동과 목적어 *wh*–이동에 어떤 차이점이 있는지 설명하시오.

(i) a. Who do you think that John will invite <u>who</u>?
   b. Who do you think   John will invite <u>who</u>?
(ii) a.*Who do you think that <u>who</u> will arrive first?
   b. Who do you think   <u>who</u> will arrive first?

that–흔적 효과

아래 문장들의 문법성을 판단하시오. (문법적: ✓ 비문법적: *)

(i) a. Who do you think that bought a radio?
   b. Who do you think   bought a radio?

---

110) *that*-흔적 효과는 보문소로 시작하는 삽입절로부터 주어를 이동하는 것을 제한하는 제약이다.

(ii) a. What do you think that Roger bought?

    b. What do you think   Roger bought?

연습문제 3(5) *that*-흔적 효과와 Corpus

(i) *Who did John say that loved peanuts?

논의(Discussion): 위의 문장은 비문법적인 문장이다. 비문법적인 문장은 코퍼스(Corpus)에 나타나지 않음에도 불구하고 이러한 *that*-흔적 효과는 영어의 일반화된 규칙으로 영어모국어자들이 이에 관한 문법 교육을 받지 않아도 이를 습득하는 데는 전혀 오류가 없는데 이러한 모국어 언어습득과 관련한 문법모델을 제시하시오.

명사구: 의미역과 격
NP: θ -ROLES AND CASE

1. 논항과 의미역

1.1. 의미역 이론

의미역이론은 의미론과 통사론이 상호 작용하는 분야로 서술어(predicate)와 논항(argument)과의 관계를 설명하기 위한 것이다. 문장은 기능(function), 형태(form) 그리고 의미역(thematic roles)의 세 가지 기술단계(three levels of description)로 이야기할 수 있는데 기능은 주어, 목적어와 같은 문법기능/관계(Grammatical Function(GF)/Relation)를 말하며, 형태는 통사범주(syntactic category)를 말하고 의미역은 '행위의 주체(agent/actor)'와 '행위의 대상(theme)'과 같은 의미관계(thematic relations)[111]를 의미한다. 문법기능은 근본적으로 통사적 기능이며 의미

---

[111] Semantic relations(J, Katz), thematic relations (J. Gruber & Jackendoff), thematic roles 또는 theta (θ) roles (in GB) 등이 동일한 의미로 사용된다.

역은 근본적으로 의미론 분야이다. 따라서 통사론에서 명사구(NP/DP)라고 하는 것을 의미론에서는 논항(argument)이라고 부르며 통사론에서 동사구 VP라고 하는 것을 의미론에서는 서술어(predicate)로, 그리고 통사론에서 문장(TP)이라고 하는 것을 의미론에서는 명제(proposition)라고 부른다.

먼저 아래 예문을 살펴보자.

(1) Peter cooked spaghetti.

위의 문장은 주어인 *Peter*와 서술어인 *cooked* 그리고 직접 목적어인 *spaghetti*로 구성되어 있다. 여기서 주어와 목적어는 DP/NP라는 통사범주로 그리고 서술어는 동사구 VP로 나타난다. 통사론에서는 문법기능과 형태를 결합하여 구조적인 주어는 [DP, TP]로 표기하고 "TP의 DP(DP of TP)"로 읽는다. 목적어는 [DP, VP]로 표기하고 "VP의 DP(DP of VP)"로 읽는다.

그렇다면 이제 주어, 목적어 역할을 하는 DP들의 서술어와의 의미관계를 살펴보자. 문장의 의미해석에서 누가 행위를 하고(행위자), 누가 행위에 의해 영향을 받는가(대상)와 같은 서술어 핵에 의해 배당되는 의미특질을 의미역(thematic roles/theta(θ) - roles)이라 부르고 의미역은 논항에 배당된다. 명제에서 참여자(participant)들의 구체적 행위를 서술하는 요소가 서술어이고, 참여자들 자체는 논항이 된다.[112] 의미역이 할당되는 표현을 논항이라 하므로, 의미역이 할당되지 않는 요소는 비논항(nonargument)이 된다.

전통문법과 마찬가지로 초기 생성문법에서부터 의미역은 '~의 주어,' '~의 목적어'와 같은 문법기능에 의해 부분적으로 결정되기도 하지만 통사적인 문법기능과 의미역 관계는 항상 일치하는 것은 아니다. 위의 능동문장 (1)을 수동문장으로 바꾼 아래 예문 (2)를 살펴보면 주어와 목적어와 같은 문법기능은 바뀌지만 의미

---

[112] 의미론의 명제, 서술어, 논항은 통사론의 문장, 동사, 명사구와 상응하는 용어이다.

역 관계는 변함이 없다는 것을 알 수 있다.

(2) Spaghetti was cooked by Peter.

위의 문장 (1)에서 서술어는 *cooked*이며 이 서술어는 *Peter, spaghetti*라는 두 개의 논항을 갖는다. 위의 문장 (1)을 논리적 서술(predicate logic)로 표현하면 다음과 같다.

(3) C (p, s)

논리적 서술에서 서술어는 동사 첫 글자를 대문자 C로, 논항들은 첫 글자를 소문자 p, s로 표현하는데, (3)의 논리적 서술은 동사 *cook*이 이항 술어(two‐place predicate)임을 보여준다. 의미론에서는 통사론의 자동사를 일항 술어(one‐place predicate)로 타동사는 이항 술어로 표현한다.

1.2. 의미역의 종류

논항을 명제라고 부르는 소 연극의 참여자들로 비유한다면 이들 논항이 어떠한 역할을 하는지를 설명한 것이 논항의 의미역이다. 이제, 의미역에는 어떠한 종류들이 있는지 알아보자. 각 예문에서 곽 괄호한 부분이 해당 의미역을 갖는 논항이다.

(4) Theme(대상(역))[≒ Patient(수동자)]:
    서술어가 나타내는 행동이나 사건에 피동적으로 영향을 받는 대상
    (the entity that is moved by the action or event denoted by the predicate)

a. [The rock] moved away.

b. John rolled [the rock] from the dump to the house.

c. Bill forced [the rock] into the hole.

d. Harry gave [the book] away.

e. William inherited [a million dollars].

f. Charlie bought [the lamp] from Max.

g. Dave explained [the proof] to his students.

h. The circle contains [the dot].

I. [The dot] is contained in the circle.

j. Frank threw [himself] onto the sofa.

아래 예문에서처럼 위치 또는 상태 동사와 함께 나타나는 대상은 위치 또는 상태가 언급되는 DP로 정의된다.

k. [The rock] stood in the corner.

l. John kept [the book] on the shelf.

m. Max knows [the answer].

n. [Greg] comes from Wales.

o. [John] weighs 200 pounds.

(5) Goal(목표)

어떤 것이 움직이는 방향의 실체 또는 장소

(The location or entity in the direction of which something moves)

a. George got [to Philadelphia].

b. Harry went from Bloomington [to Boston].

c. Frank threw himself [onto the sofa].

d. His mother sent [David] a letter.

(6) Source(근원)

어떤 것이 이동해 나온 시작 위치 또는 실체

(The location or entity from which something moves)

a. Greg comes [from Wales].

b. Harry went [from Bloomington] to Boston.

(7) Location(장소)

서술어가 나타내는 행동이나 사건이 위치하는 장소

(The place where the action or event denoted by the predicate is situated)

a. John stayed [in the room].

b. We put the cheese [in the fridge].

(8) Benefactive(수혜자)[113]

서술어의 행동이나 사건으로부터 이득을 취하는 실체

(The entity that benefits from the action or event denoted by the predicate)

a. [William] inherited a million dollars.

(9) Agent/Actor(행위자)

서술어가 나타내는 행동을 의지를 갖고 능동적으로 취하는 행동자

---

113) 수혜자의 경우는 행위자와 달리 의지가 없어도(not intentionally) 행위가 발생할 수 있다.

(The doer or instigator of the action denoted by the predicate)

    a. [John] rolled the rock from the dump to the house.

    b. [John] took the book from Bill in order to read it.

    c. [His mother] sent David a letter.

    d. [We] put the cheese in the fridge.

    e. [David] smashed the window.

    f. The window was smashed by [David].

(10) Experiencer(경험자)[114)

서술어가 나타내는 행위나 사건을 경험하는 살아있는 실체

(The living entity that is moved by the action or event denoted by the predicate)

    a. [David] smelled the freshly baked bread.

    b. [John] saw the movie.

(11) Instrument(도구)

서술어에 의해 행해지는 행위나 사건이 수행되는데 필요한 도구

(The medium by which the action or event denoted by the predicate is carried out)

    a. David used [a brick] to smash the window.

    b. [A brick] smashed the window.

---

114) 행위자로 일반화할 수 있으나 주로 경험동사(e.g. *see, hear, smell*)와 함께 쓰이는 행위자를 구별하여 경험자라 세분화 할 수 있다.

대상역(theme)

아래 문장에서 대상역을 받는 논항을 [　]로 표시하시오.

a. The circle contains the dot.
b. The dot is contained in the circle.
c. John stayed in the room.

논항과 의미역판별

아래 문장에서 곽 괄호 표시된 논항의 의미역을 말하시오.

a. [We] put [the cheese] [in the table].
b. [John] sent [Mary] [a letter].
c. [Jane] saw [a UFO] last night.
d. [Bill] used [a penknife] when [he] cut [the bread].
e. [The book] reads well.
f. [We] read [the book] well.
g. [The door] opened.
h. [The car] steers poorly.
i. [She] thought [that he was wrong].

논항과 의미역판별

아래 예문에서 곽 괄호 표시된 논항은 여러 개의 의미역을 가질 수 있다. 어떠한 의미역들을 가질 수 있는지 설명하시오.

a. [Harry] gave the book away.
b. [William] explained the proof to his students.
c. [John] broke his arm *intentionally*.
d. [John] broke his arm *accidentally*.

행위자(agent)

아래 문장이 왜 비문법적인지 설명하시오.

a. The rock moved away.
b. *The rock deliberately rolled down the hill.

1.3. 의미역 구조와 기술의 3단계

서술어에 대한 의미정보, 즉 의미역의 수와 종류를 논항구조에 추가한 것을 의미역 구조(thematic structure)라 하는데 이는 서술어의 논항정보와 의미정보를 아래와 같이 통합한다.

(12) a. 'cook' (verb)

[DP$_1$⟨agent⟩, DP$_2$⟨theme⟩]

b. 'put' (verb)

[DP$_1$⟨agent⟩, DP$_2$⟨theme⟩, DP$_3$⟨location⟩]

앞서 우리는 문장을 문법기능, 형태, 의미역의 3단계에서 기술할 수 있음을 설명하였다. 위의 문장 (1)을 3단계로 기술하면 아래와 같다.

(13)

	Peter	*cooked*	*spaghetti.*
문법기능(GF)[115] :	Subject	Predicator	Direct Object
형태(Form)　:	DP	V	DP
의미역(θ - roles) :	Agent	Predicate	Patient

---

[115] 문법기능(grammatical function)은 문법관계(grammatical relations)와 동일한 개념이다.

1.4. 의미역 기준(θ - Criterion)

아래 문장을 살펴보고 왜 이러한 문장들이 비문법적인지를 생각해보자.

(14) a. *There knows how to be a unicorn in the garden.

      b. *Bill is likely that Susan is happy.

위의 문장 (14a)에서는 *knows*의 주어자리는 의미역을 가질 수 있는 논항의 자리이나 의미역을 갖지 못하는 허사 *there*가 왔으므로 비문법적이고, 반대로 (14b)는 *is likely*의 주어자리가 의미역이 없는 자리로 허사 *it*이 와야 하는 자리이나 의미역을 필요로 하는 논항 *Bill*이 이 자리에 와서 의미역을 받지 못하므로 비문법적이다.

    위와 같은 논항과 의미역관계를 설명하기 위하여 GB는 논리형태(LF)의 적형성에 관한 기준으로 논항과 의미역의 관계를 일 대 일(1:1) 대응으로 규정하는 다음과 같은 의미역 기준(θ - Criterion)을 제안하였다.

(15) 의미역 기준(θ - Criterion):

    각 논항은 오직 하나의 의미역을 가지며, 각 의미역도 오직 하나의 논항에 배당된다.

    (Each argument bears one and only one θ-role, and each θ-role is assigned to one and only one argument. (Chomsky, 1981:36)

연습문제 1.4(1) 의미역 기준(θ-Criterion)

아래 문장이 왜 비문법적인지 의미역 기준으로 설명하시오.

a. *John hit the man the dog.
b. *There thought that Nancy would come.

c. *John seems that he is lucky.

d. *John gave Mary the book to her.

2. 명사구와 격

2.1 명사구와 격(Noun Phrase and Case)

명사구가 격을 필요로 한다는 요건은 대명사가 갖고 있는 형태격(morphological case)에서 쉽게 찾아볼 수 있다.

(16) a. *I* left.

　　 b. Bill wants *me* to leave.

　　 c. *He* exclaimed *his* wish that *I* might live to be a hundred.

대명사는 구조적 위치에 따라 주어자리에서 주격(nominative case - *I, he, she, we, they*)을 받고 목적어 자리에서는 대격(accusative case - *me, him, her, us, them*)을 받는다. 영어에서는 대명사만이 외현적인 형태격을 갖는다. 라틴어와 같은 언어에서는 접미사(suffix)가 명사구의 형태격을 보여주는 데 영어의 경우도 라틴어처럼 모든 명사구가 격을 필요로 한다면 영어는 형태격과 함께 추상격(abstract case)을 갖게 된다. 이 추상격을 결정하는 것은 구조의 위치이므로 추상격을 구조격(structural case)이라고 부른다.

2.2 구조격(Structural Case)

격은 형태적으로 실현되는 형태격과 구조적으로 표시되는 구조격으로 나눌 수 있다. 여기서는 구조격의 구조적 위치와 관련한 격 배당자(Case assignmer)를 살펴보자. 구조격의 대표적인 예는 주격과 대격이다. 주격(NOM)은 시제(Tense)가 있는 시제절(한정절)의 주어자리에 나타나고 대격(ACC)은 타동사의 목적어 자리나, 부정사절의 주어자리에 나타나고, 전치사의 목적어 자리에는 여격(DAT: dative case)이나 대격(ACC) 또는 사격(OBL: oblique case)이 온다. 전치사구가 보충어일 때는 대격이라 부르지만 전치사구가 부가어일 경우는 사격이라 구분하기도 한다. 이러한 T[+tense], V, P의 어휘범주인 격 배당자 외에도 다음과 같은 구조에서 소유격(POSS: possessive case)이 주어지는데 예를 들면, *Mary's book*처럼 명사구에서 명사 *book*의 앞자리, 즉 [___ N]의 구조에서 ___ 부분은 소유격이 주어지는 자리이다.

아래 격 배당(case assignment)을 위한 기본적인 통사구조를 살펴보자.

(17) a. John gave the book to Mary.

　　 b. He gave it to her.

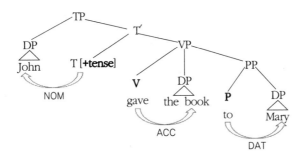

명사구 DP가 격을 필요로 하는 피배당자(Case assignee)라면 격을 배당할 수 있는 격 배당자는 무엇인가? 위의 구조를 보면 주격은 시제(tense)와 관련이 있고 오직 시제절의 주어만이 주격을 받을 수 있다. 타동사는 명사구에 대격을, 전치사는 여격/대격을 배당한다는 것을 상응하는 대명사화 문장 (17b)가 보여준다.

전통적으로 격이론은 어휘범주와 밀접한 관계가 있다. 전통문법은 어휘범주를 실사와 서술어로 나눈다. 명사와 형용사는 실사(substantive)에 속하며, 동사와 형용사는 서술어(predicate)에 속한다. 반면, 어휘범주 사이에 유사성과 차이점을 알아보기 위하여 핵심 어휘범주 N, A, V, P를 [±N]과 [±V] 자질에 따라서 다음과 같이 분류할 수도 있다.

(18) [+N, -V] = N   [-N, -V] = P

     [+N, +V] = A   [-N, +V] = V

         ⇓   ⇓

       [+N] 범주   [-N] 범주

이와 같은 어휘범주의 [±N]과 [±V] 자질 분류에 따라 [-N]범주에 속하는 동사 V와 전치사 P만이 격을 배당할 수 있다는 일반화를 할 수 있다. [-N]범주만이 격을 배당할 수 있기 때문에 전치사 P와 동사 V(자동사 Vi는 목적어가 없으므로 여기서 동사는 하위범주로 타동사 Vt를 의미한다)는 DP에 격을 배당할 수 있는 반면에 형용사 A나 명사 N은 [+N]자질을 갖고 있어 보충어에 격을 배당할 수 없다. 수동태의 동사 형태인 *be* + *p.p*에서 *p.p*는 동사의 특질을 갖는 과거분사(past participle)가 아닌 형용사의 특질을 갖는 수동분사(passive participle)이므로 격을 배당할 수 없다. 따라서 요약하면 DP에 대한 [-N]의 특질을 갖는 Vt, P, T[+tense]가 격 배당자이다.

격배당자 {
[+Tense] ⟶ [+NOM]
Vt ⟶ [+ACC]
P ⟶ [+DAT/+ACC/+OBL]
} DP[+Case]

N
A
Vi
be+p.p
} DP[-Case]

격(Case)

아래 문장에서 밑줄 친 명사구가 어떠한 종류의 격을 갖는지 설명하시오.

a. <u>The cat</u> ate the dog's meal.
b. The cat ate <u>the dog</u>'s meal.
c. The cat ate <u>the dog's meal</u>.
d. <u>He</u> ate her meal.
e. He ate <u>her meal</u>.
f. He ate <u>her</u> meal.
g. Bill wants for <u>John</u> to leave.
h. There arose a problem during <u>the discussion</u>.
i. Bill persuaded <u>John</u> to leave.

2.3 격 여과(Case Filter)

모든 명사구는 격을 받아야 한다. 논항과 비논항 모두 음성적 내용을 가진 명사구는 격을 받아야 한다는 조건을 Chomsky(1981)는 격 여과(Case Filter)라고 하는데 이를 요약하면 다음과 같다.

(20) 격 여과(Case Filter): *DP[-Case]
    모든 음성적 내용을 지닌 명사구는 격을 할당받아야 한다.
    (*DP if DP has phonetic content and has no Case)

(21) a. [_{VP} destroy the city]

    b. *[_{NP} destruction the city]

    c. [_{NP} destruction of the city]

    d. [_{NP} the city's destruction]

(22) a. [vp write the book]

　　 b. *[NP writer the book]

　　 c. [NP writer of the book]

　　 d. [NP the book's writer]

위의 예문에서 동일한 의미를 갖는 동사구와 명사구를 비교해 보면 동사는 격 배당자인 V를 핵으로 갖지만 명사구의 경우는 격 배당자가 아닌 N만 있으므로 격을 배당할 수 없어 격 배당자로 의미적으로 내용이 없는 빈 전치사 *of*를 삽입해야만 전치사의 목적어로서 DP를 취할 수 있다. 따라서 빈 전치사 *of*의 삽입은 격 여과를 위배하지 않기 위한 것이다. 격 여과를 위배하지 않는 것이 목표라면 예를 들어, 명사구 *destruction the city*가 격 여과를 위배하지 않는 방법은 2가지가 가능한데 그 하나가 빈 전치사 *of*를 삽입하여 전치사의 대격(ACC)을 배당하거나 아니면 (21d)처럼 명사의 앞자리에서 소유격(POSS)을 배당하는 두 가지 방법이 있다.

(23) [AP proud of John]

　　 (*[proud John])

명사구의 경우 격 배당자로 전치사 *of*가 없으면 비문법적이 되는 것처럼 형용사의 경우도 형용사는 격 배당자가 아니므로 형용사구도 명사구와 동일하게 *of*-삽입규칙이 (23)에 적용된다.

　　또한 이러한 격배당자와 피배당자 사이에는 방해자가 없이 서로 인접해야 한다는 인접조건(Adjacency Condition)이 있다.

(24) 인접조건: 격 배당자와 피배당자는 서로 인접해야한다.

　　　　(Case assigner and assignee must be adjacent.)

(25) a. *John rolled perfectly the ball down the hill.

 b. *John likes very much Susan.

 c. *John gave yesterday Bill a book.

위의 인접조건에 의하면 격 배당자가 있다하더라도 인접조건을 위배하면 격이 배당되지 못하므로 (25)와 같은 문장들은 격 여과를 위배하여 비문이 된다. 즉 *roll* 동사는 부사 *perfectly*가 방해하기 때문에 *the ball*에 대격을 배당할 수 없어 비문이 된다. 그러므로 동사와 목적어 사이에 부사나 첨사 따위가 끼어들면 격 배당을 할 수 없다.

연습문제 2.3(1) 명사구와 격 여과: *DP[−Case]

아래 문장들은 모두 격 여과를 위배하고 있는 비문이다. 격 여과를 위배하는 명사구에 밑줄을 긋고 아래 비문법적인 문장들이 정문이 되도록 격 배당자인 V, P, T[+tense]가 나타나는 문장으로 바꾸고 아래 a-d처럼 설명하시오.

a. *<u>Him</u> to attack Bill would be illegal.
 → <u>For him</u> to attack Bill would be illegal. (*him*에 대격을 주기 위해 *for* 삽입)
b. *He wandered <u>them</u>. → He wandered. (자동사이므로 *them*[−Case] 생략)
c. *<u>Him</u> found the evidence. → He found the evidence. (T[+tense]는 주격배당)
d. *John recalled quickly <u>the story</u>. → John quickly recalled the story.
 (Vt가 인접조건에서 the story에 대격배당이 가능하도록 부사위치 이동)
e. *John is envious him.
 →
f. *I will discuss about cultural misunderstanding.
 →
g. *John gave yesterday a book to Bill.
 →
h. *It was broken the car by the accident. (cf. be+*p.p* = adj)
 →

i. *the enemy destruction of the city.

→

j. *John's attack him.

→

k. *John is afraid Mary.

→

l. *I said Mary that I would keep the promise.

→

m. *John wants very much Bill to win.

→

2.4. NP - 이동: 격과 EPP

여기서는 NP · 이동과 격이 어떤 관련성을 갖고 있는지 살펴보자. 주절의 *is likely/seems/is certain*과 같은 동사구는 주절의 주어자리로의 NP · 이동이 일어난다. 먼저 아래 문장들을 비교해보자.

(26) a. *It is likely [John to leave].[116]

　　b. John is likely [John to leave]. (NP · 이동)

　　c. ＿＿ is likely [John to leave].

(27) a. *Mary tried [[Bill to win the race]].

　　b. Mary tried [[PRO to win the race]].

　　c. Mary tried [[Mary to win the race]]. (동일명사구삭제)

(26a)와 (26b)는 같은 D · 구조 즉 (26c)에서 도출된 문장이다. 그런데, 왜 (26a)는

---

[116] 격 여과는 음성적 내용이 있는 모든 DP가 격을 받을 것을 요구하므로 논항과 비논항 모두에 적용된다. 즉 논항이 아닌 허사도 격을 받는다.

비문이고 (26b)는 정문인가? 즉 왜 *it*-삽입은 안 되고 명사구 *John*을 이동해야 하는가? (27)의 경우도 마찬가지로 부정사절의 주어 위치에 왜 어휘 명사구 *Bill*은 허용이 안 되고 동일명사구삭제 후 남는 공범주인 PRO만 가능한가 하는 문제가 제기된다. 이러한 문제들을 해결하기 위해서 격 여과가 제안되었다.

격 여과 조건에서 보면 (26a)는 *John*이 격을 할당받지 못하는 부정사절의 주어자리에 있어 부정사절 T[-tense]는 격 배당자가 아니기 때문에 그대로 있으면 격 여과조건을 위배하는 비문이다. 따라서 격 여과 조건을 충족시키기 위해서 *John*은 격을 받을 수 있는 T[+tense]자질을 갖고 있는 주절의 주어자리로 이동해야 한다. (26b)는 *John*이 이동한 후의 문장인데, *John*은 주절 T[+tense]에 의해서 주격을 배당받는다. 따라서 NP·이동의 동기는 격을 배당받기 위한 것이다. (27a)의 경우는 부정사절의 주어자리에 있는 명사구 *Bill*이 격을 받지 못해 비문이다. 그러나 (26c)와는 달리 주절의 주어자리가 명사구 *Mary*로 이미 채워졌기 때문에 *Bill*이 그 자리로 이동할 수 없다. 이동을 할 수 없을 때 격 여과를 위배하지 않으려면 어떠한 방법이 가능한가? 격 여과를 위배하지 않는 방법은 2 가지가 있는데 하나는 명사구가 격을 받는 자리로 이동하는 방법이고 다른 하나는 명사구가 음성적으로 실현되지 않도록 삭제되는 방법이다. 그렇다면 빈자리가 아닌 자리로의 이동은 불가능하므로 (27c)의 부정사절 주어는 격 여과를 위배하지 않기 위해 삭제되어야 한다. 따라서 부정사절의 동일명사구는 삭제되고 그 자리에 격을 필요로 하지 않는 PRO를 남긴다. 이동은 동일한 복사를 남기지만 삭제는 PRO를 남기고 또한 음성적 실체가 없는 PRO는 격 여과와 무관하기 때문에 격을 받지 못해도 문장은 정문이 된다.

격을 받기 위해 이동하는 NP·이동은 의미역과 격의 관점에서 아래와 같은 하나의 연쇄(Chain)를 형성한다. 의미역은 있으나 격이 없는 자리에서 의미역은 없으나 격이 있는 자리로 이동하면 이동이 만드는 하나의 연쇄 안에서는 1개의 격과 1개의 의미역을 받게 된다. NP·이동은 한마디로 격을 받기 위해(to get the Case) 또는 격을 점검하기 위해(to check the Case) 이동하는 것이다.

(28) [[+Case, $-\theta$] $\Longleftarrow$ [-Case, $+\theta$]]

NP·이동의 구조적 위치를 명확히 알기 위해 (26c)에서 일어나는 NP·이동을 포함한 수형도를 그리면 아래와 같다.

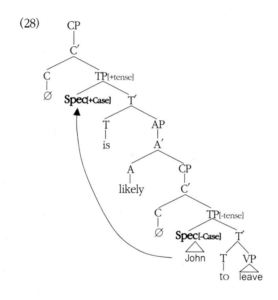

(28)

다음 문장을 (26b)와 비교해보자.

(29) *John is likely that <u>John</u> leaves.

(26b)와 (29)의 차이는 보충어절이 비시제절인 부정사절인지 시제절인지에 달려있다. 부정사절의 주어자리는 격 배당자 T[·tense]가 격을 배당하지 못하는 위치이므로 보충어절의 주어는 격 여과를 위배하지 않기 위해 이동해야 한다. 그러나 (29)과 같이 종속절이 시제절일 때 주어자리가 격 배당자 T[+tense]에 의해 격을 받을 수 있는 위치에 있기 때문에 보충어절의 주어는 이동을 할 필요가 없다. 만약 이동을 한다면 이동한 주절 주어자리에서 명사구는 또 한 번 격을 받게 된다.

이와 같이 하나 이상의 격이 동일한 명사구에 배당될 때 격 충돌(Case Conflict)이 일어난다고 한다. 격 충돌 외에도 보충어절이 시제절일 경우는 주절과 동일하게 주어자리가 외현적인 주어로 채워질 것을 요구하는 시제절 주어조건인 확대투사 원리 EPP(Extended Projection Principle)를 위배하게 되어 비문이 된다.

연습문제 2.4(1) NP-이동과 격 여과: NP[+Case] ← NP[-Case]

아래 문장들에서 격 여과를 위배하고 있는 명사구에 밑줄을 치고 a와 같이 정문으로 고치고 그 이유를 설명하시오.

a. *It is likely <u>Patrick</u> to leave.
   → Patrick is likely to leave. (격을 받기 위해 NP-이동이 일어남)
b. *It seems to be broken the car by the accident.
c. *It seems Mary to like to dance.
d. *Bill seems that has lost his mind.
e. *John is believed that Bill has seen.
f. *John seems that happy.

2.5. 예외격(ECM)

지금까지 부정사절의 주어자리는 격이 할당되지 않는다고 가정했다. 그런데 아래와 같은 문장은 전형적인 반례이다. 이러한 구문은 어떻게 설명할 수 있는가?

(30) a. Mary believes [CP that [TP Bill leaves]].

   b. *Mary believes [CP for [TP Bill to leave].

   c. Mary believes [TP Bill/*him* to leave].

   d. believe [TP *him* to leave]]

       [+Case]   [+θ]

(30a)는 시제절인 보충어절을 갖고 있는 정문이고 (30b)는 *for* NP 주어가 나타나는 비시제절로 비문이며 (30c)에서는 CP가 삭제된 TP로 *Bill*은 부정사절의 주어자리에서 격을 받지 못함에도 불구하고 정문이 된다. 부정사절이 CP가 아니라 TP라고 가정하면 주절 동사 *believe*가 부정사절의 주어 *Bill*에게 CP장벽이 없어 격을 준다고 가정할 수 있다. 이와 같은 문제를 해결하기 위하여 *believe, consider*와 같은 동사는 CP가 반드시 생략되고 주절의 동사가 부정사절의 주어에 예외적으로 격을 줄 수 있다고 제안했다(Chomsky,1981). 필수적 CP 삭제를 가정하면 왜 (30b)는 비문이고 (30c)는 정문인지를 설명할 수 있다. 주절동사가 부정사절의 주어에 예외적으로 대격(ACC)을 배당하는 이와 같은 예외적인 격 표시를 예외격 표시(Exceptional Case Marking: ECM)라고 한다. 예외격 표시가 일어나는 구문을 예외격 구문이라고 하며 예외격 구문에서 부정사절의 주어 *Bill/him*은 부정사절의 동사 *leave*로부터 행위자(actor)의 의미역을 받지만 격은 예외적으로 주절 동사 *believe*로부터 대격을 배당받는다.

연습문제 2.5(1) 필수적 CP 삭제와 예외격

아래 문장의 문법성을 판별하시오. (문법적: √ 비문법적: *)

a. We sincerely believe [him to be telling the truth].
b. We believe sincerely [him to be telling the truth].
c. We believe sincerely [for him to be telling the truth].

위에서 살펴본 *believe, consider*와 같은 동사가 필수적으로 CP 삭제가 일어나는 예외격 동사라면 *want, expect*와 같은 동사는 일반 동사와 예외격 동사가 둘 다 가능한 동사로 CP 삭제가 선택적으로 일어날 수도 있고 일어나지 않을 수도 있다. 즉 *want, expect*와 같은 동사는 부정사절이 CP 또는 TP가 될 수 있는 양면 동사이다. 아래 예문을 살펴보자.

(31) a. We very much want [CP _for_ [TP him to be there]].

　　 b. We very much _want_ [TP him to be there]].

　　 c. We want very much [CP _for_ [TP him to be there]].

　　 d. *We _want_ very much [TP him to be there].

(31a)의 문장은 인접조건하에서 전치사적 보문소(prepositional complementizer) _for_가 _him_에게 대격을 줄 수 있어 정문이며, (31b)는 선택적으로 CP가 삭제되면 주절 동사 _want_가 _him_에게 대격을 줄 수 있으니 또한 정문이 된다. (31c)에서는 (31a)와 마찬가지로 _for_가 _him_에게 대격을 주고 있어 _want_ 뒤에 오는 부사 _very much_는 인접조건에 문제가 되지 않는다. 그러나 (31d)의 문장은 _for_가 없고 CP가 삭제되는 문장이나 _want_와 _him_ 사이에 부사 _very much_가 가로 막고 있어 격 배당이 일어나지 못하므로 문장은 비문이 된다.

연습문제 2.5(2) 선택적 CP 삭제와 예외격

아래 문장의 문법성을 판별하시오. (문법적: ✔ 비문법적: *)

a. John wants Bill to win.
b. John wants very much for Bill to win.
c. *John wants very much Bill to win.
d. John wants PRO to win.
e. I expected Mary to leave.
f. I expected PRO to leave.

Aarts, B. (2008) *English Syntax and Argumentation. 3rd* Edition. Palgrave, New York.

Abney, S. (1987) *The English Noun Phrase in Its Sentential Aspect.* Ph.D Diss. MIT.

Adger, D. (2003) *Core Syntax: A Minimalist Approach.* Oxford: Oxford University Press.

Berk, L. (1999) *English Syntax: From Word To Discourse.* Oxford: Oxford University Press.

Bloomfield, Leonard (1983) *Language.* New York: Holt, Reinhart & Winston.

Boecks, C. (2000) A Note on Contraction. *Linguistic Inquiry* 31: 357-366

Carnie, A. (2011) *Modern Syntax: A Course Book.* Cambridge: Cambridge University Press.

Carnie, A. (2013) *Syntax: A Generative Introduction.* 3rd Edition. Blackwell.

Carroll, J. (1953) *The Study of Language: A Survey of Linguistics and Related Disciplines in America.* Cambridge. MA: Harvard University Press.

Chomsky, N (1957) *Syntactic Structure.* The Hague: Mouton.

Chomsky, N (1965) *Aspects of the Theory of Syntax.* Cambridge: Cambridge University Press.

Chomsky, N (1970) Remarks on Nominalization. in R. A Jacobs and P. S. Rosenbaum (eds), *Readings in English Transformational Grammar.* Waltham, MA: Ginn.

Chomsky, N (1973) Conditions on Transformations. in S. R. Anderson and P. Kiparsky, (eds), *A Festschrift for Morris Halle.* New York: Holt, Reinhart and Winston.

Chomsky, N (1976) Conditions on Rules of Grammar. *Linguistic Analysis* 2.4.

Chomsky, N (1981) *Lecture on Government and Binding.* Dordrecht: Foris.

Chomsky, N (1986) *Barriers.* Linguistic Inquiry Monograph 11. Cambridge. MA: MIT Press.

Chomsky, N (1995) *The Minimalist Program.* Cambridge. MA: MIT Press.

Chomsky, N (1999) Derivation by Phase. *MIT Occasional Papers in Linguistics* 18.

Chomsky, N (2005) Three Factors in the Design of Language. *Linguistic Inquiry* 36:1-22

Cowan. R. (2015) *The Teacher's Grammar of English.* 9th Printing, Cambridge: Cambridge University Press.

Culicover, P.,T. Wasow and A. Akmajian (1977) *Formal Syntax.* New York: Academic

Emonds, J. (1986) *A Unified Theory of Syntactic Categories.* Dordrecht: Foris.

Freidin, R. (1992) *Foundations of Generative Syntax.* Cambridge, MA: MIT Press.

Guasti, M. (2002) *Language Acquisition: The Growth of Grammar.* Cambridge, MA: MIT Press.

Haegeman, L. (2006) *Thinking Syntactically: A Guide to Argumentation and Analysis.* Oxford: Blackwell.

Haegeman, L. ans J. Guéron (1999) *English Grammar.* Oxford: Blackwell.

Haugen, E. (1951) Directions in Modern Linguistics, *Language* 27.3.

Hornstein, N. (1977) S and X - bar Convention. *Linguistic Analysis* 3.

Hornstein, N. (1995) Logical Form: From GB to Minimalism. Oxford and Cambridge, MA: Blackwell.

Hornstein, N., J. Nunes and K. Grohmann. (2005) *Understanding Minimalism.* Cambridge: Cambridge University Press.

Humboldt, W. (1836). *On Language.* 2nd Edition. Cambridge: Cambridge University Press,

Jacobs, R. (1995) *English Syntax: A Grammar for English Language Professionals.* Oxford University Press.

Jakendoff, R. (1977) *X - bar Syntax: A Study of Phrase Structure.* Linguistic Inquiry Monograph 2. Cambridge, MA: MIT Press.

Jesperson, O. (1924/1965) *The Philosophy of Grammar.* Norton.

Kayne, R. (1994) *The Antisymmetry of Syntax.* Cambridge. MA: MIT Press.

Kim, Y. (2007) Infinitives and EPP, *The Journal of Studies in Language*, 22.3.

Kim, Y. (2013) The Asymmetries of Subject - Auxiliary Inversion in English *Wh*-Questions. *The Journal of Studies in Language*, 29.3

Kim, Y. (2014) Subject Inversion Constructions and Third Factor Principles. *The Journal of Studies in Language*, 30.2

Kim, Y. (2015a) Three Types of the Infinitive: Diachronic Change and Synchronic Variation, *The Journal of Studies in Language*, 31.2.

Kim, Y. (2015b) Grammaticalization and the Syntactic Status of English *to* - Infinitive Particle. *Journal of Linguistic Studies*. 20.3.

Kim, Y. (2016) *Tough* - Constructions vs *Non - Tough* Constructions. *Korean Journal of English Language and Linguistics* 16.3.

Kim, Y. (2017a) *English Syntax*. Seoul: Dong - in Publishing Co.

Kim, Y. (2017b) DP/PP Asymmetry in English Infinitival Relative Clauses, *Linguistic Association of Korea Journals*. 25.2.

Kim, Y. (2018) The Syntax of Quantifier *All*: Q - Stranding. *Studies in Linguistics*. 50.

Kim, Y. (2020a) The Corpus - Based Synchro - Diachronic Approach to the Split Infinitives in English. *Studies in Linguistics* 54.

Kim, Y. (2020b) Subject Raising Constructions in English. *Modern Studies in English Language*. 64.1

Kim, Y. & Y. Park (2010) *Principles of English Syntax*. Seoul: Ajin Publishing Co.

Lakoff, G. & J. Ross (1976) Is Deep Structure Necessary? *Syntax and Semantics* 7.

Larson, R. (1988) On the Double Object Construction. *Linguistic Inquiry* 19, 335-91.

Lenneberg, E. H. (1967) *The Biological Foundations of Language*. New York: Wiley and Sons.

Miller, J. (2008) *An Introduction to English Syntax*, 2nd Edition. Edinburgh University Press.

Newmeyer, F. (1983) *Grammatical Theory: Its Limits and Its Possibilities*. Chicago: University of Chicago Press.

Ouhalla, J. (1999) *Introducing Transformational Grammar: From Principles and Parameters to Minimalism*. London: Longman, 2nd ed.

Permutter, D. (1971) *Deep and Surface Structure Constraints in Syntax*. New York: Holt, Reinhart & Winston.

Pollck, J. - Y. (1989) Verb Movement, UG and the Structure of IP. *Linguistic Inquiry* 20, 365-424.

Postal, P. (1974) *On Raising*. Cambridge: MIT Press.

Radford, A. (1981) *Transformational Syntax*. Cambridge: Cambridge University Press.

Radford, A. (1988) *Transformational Grammar: A First Course*. Cambridge: Cambridge University Press.

Radford, A. (2004a) *English Syntax: An Introduction.* Cambridge: Cambridge University Press.

Radford, A. (2004b) *Minimalist Syntax.* Cambridge: Cambridge University Press.

Radford, A. (2009) *An Introduction to English Sentence Structure.* Cambridge: Cambridge University Press.

Reinhart, T. and E. Williams (1986) *Introduction to the Theory of Grammar.* Cambridge, MA: MIT Press.

Rosenbaum, P. (1967) *The Grammar of English Predicate Complement Constructions.* Cambridge, MA: MIT Press.

Ross, J. (1967) *Constraints on Variables in Syntax.* Doctoral dissertation, MIT.

Sportiche, D., H. Koopman, and E. Stabler. (2014) *An Introduction to Syntactic Analysis and Theory.* Wiley Blackwell.

Stowell, T. (1981) *Originals of Phrase Structure.* Doctoral dissertation, MIT.

Stowell, T. (1983) Subjects Across Categories. *Linguistic Review* 2:3.

Stuurman, F. (1985) *Phrase Structure in Generative Grammar.* Dordrecht: Foris.

Tallerman, M. (2011) *Understanding Syntax.* 3rd Edition. Hodder Education.

Thomas, L. (1993) *Beginning Syntax.* Blackwell, Oxford, England.

Travis, L. (1984) *Parameters and Effects of Word Order Variation.* Doctoral dissertation, MIT.

Williams, E. (1980) Predication. *Linguistic Inquiry* 11, 203-38.

Williams, E. (1994) *Thematic Structure in Syntax.* MIT Press, Cambridge, Mass.

Wurmbrand, S. (2007) Infinitives are Tenseless. *Proceedings of the 30th Annual Penn Linguistics Colloquium.* University of Pennsylvania.

Yule, G. (2007) *The Study of Language.* 3rd Edition. Cambridge: Cambridge University Press.

Zagona, K. (1987) *Verb Phrase Syntax.* Dordrecht: Kluwer.

ㄱ

ㅇ

ㅈ

ㅍ

파롤(parole) ― 20~22

표층구조(S-Structure; surface structure) ― 152~156, 164

플라톤의 문제(Plato's problem) ― 21, 23

ㅎ

하위범주화(subcategorization) ― 110, 112, 113, 116, 119~121, 123~126, 129, 134, 140, 142, 153, 155, 156, 171, 173

하위인접조건(subjacency) ― 179, 196, 198~205

학습(learning) ― 23, 24, 26, 28~31, 112, 156, 180

한계절점(bounding node) ― 198, 199

한정사(determiner) ― 16, 41, 42, 44, 45, 59, 63, 64, 149, 150

핵(head) ― 43, 44, 54, 59, 63, 67, 80~82, 127, 129~131, 133~140, 142~144, 148~150, 182, 190, 208

행위자(agent/actor) ― 156, 160, 163, 191, 208, 211, 212, 214, 226

허사(expletive) ― 161, 162, 222

형태소(morpheme) ― 27, 39

화제화(topicalization) ― 153, 154

확대 X'-구조(extended X' - structure) ― 138, 148, 149

회귀성(recursion) ― 34, 106~109, 142

흔적(trace) ― 162~164, 173, 174, 183, 200, 205, 206